国家出版基金项目
NATIONAL PUBLICATION FOUNDATION

《三联经典文库》

第二辑

2012年国家出版基金项目

三联经典文库
174

# 狱中杂感

杜重远　著

生活·讀書·新知 三联书店

图书在版编目(CIP)数据

狱中杂感 / 杜重远著. -- 北京 : 生活·读书·新知三联书店, 2014.1
（三联经典文库第二辑）
ISBN 978-7-108-04682-6

Ⅰ. ①狱… Ⅱ. ①杜… Ⅲ. ①杂文集－中国－现代 Ⅳ. ①I266.1

中国版本图书馆CIP数据核字(2013)第247395号

174 狱中杂感

责任编辑　卢　莹
封扉设计　蔡立国
责任印制　郝德华
出版发行　生活·讀書·新知 三联书店
（北京市东城区美术馆东街22号）
邮　　编　100010
经　　销　新华书店
印　　刷　北京鹏润伟业印刷有限公司
版　　次　2014年1月北京第1版　2014年1月北京第1次印刷
开　　本　787毫米×1092毫米　1/32　印张　9.75
字　　数　135千字
定　　价　36.00元

# 《三联经典文库》出版缘起

适逢生活·读书·新知三联书店八十华诞，为弘扬传统，接续文脉，回报读者，服务社会，我们决定策划出版《三联经典文库》。

1932年7月，生活书店在上海创办，此后，读书出版社和新知书店相继成立。本文库第一辑、第二辑所选图书，来自于这三家出版单位及其分支机构，以及1948年生活·读书·新知三联书店成立后的出版物，始于1932年，截至1951年，两辑各一百种。此为第二辑，涉及政治、经济、社会、军事、思想文化诸领域，涵盖专著、文集、散文、小说、诗歌、传记、报道等体裁，既有直面现实、追求真理、讴歌真善美、抨击假恶丑的原创作品，又有引介世界各国先进文化、传播新知、开启民智的迻译之作，真实记录了那一代知识分子的思考与探索、理想与愿景和对中华民族文化传承与创新所做出的努力与贡献。

本文库所辑入各书，多为名家名作，在版本方面，以初版一印本或经著译编者审定、修订、增订过的版本为首选，因此本文库又具有较为珍贵的版本价值和收藏价值。

本文库还将编选续辑，使之成为恢弘文化工程。诚挚希望读者给予批评和指正，帮助我们完善编选工作，再现三联经典作品之风采。殊为遗憾的是，由于年代久远，一些原著译编者及其后人未能取得联系并奉付稿酬，诚盼版权所有者与我们联系。祈愿三联前辈所创造的精神财富能薪火相传，为中华文化的伟大复兴增光添彩。

《三联经典文库》编辑委员会

2013 年 8 月

# 凡　　例

一、本文库为重排本，由繁体字竖排版改为简体字横排版。

一、以忠实于原作、整旧如旧为编辑原则，对当时使用的专有名词、外文译名，以及民国时期的语言和特色予以保留。

一、原书注释如旧，编者所出的注释，均以“编者注”标明，以示与原书注释的区别。

一、对原书残缺或字迹漫漶之处，以□示代。

一、对繁简文本转换时的“如右”、“见左”一类，对应改为“如上（前）”、“见下（后）”。

一、对原书中各种错讹脱衍之处，直接订正，不再以其他符号标示。

一、对数字、标点符号的用法，在不损害原文语义的情况下，做必要的规范。

一、本文库各书均前插原书书影、原书版权页和文库版“本书出版说明”。

一、本书出版说明的撰写，以客观中立为原则，扼要介绍本书的内容、版本流转、著译编者的情况。

# 本书出版说明

本书主要包括三部分。一是因“新生事件”入狱后，作者在狱中并没有停止对抗日救亡的宣传，继续撰文揭露日本侵略者的阴谋，痛斥国民政府的懦弱妥协，呼吁民众要觉醒，共同抗日，以救民族于危亡之中。二是《新生》周刊自创刊至被迫停刊期间，在其被誉为“脊椎”的“老实话”栏目中，作者亲自撰写的时评，每一篇都切中肯綮，为民众的疾苦鼓与呼，维护正义，抨击黑暗。三是“九·一八事变”后，作者奔赴全国各地演讲，做抗日宣传，途中写给韬奋先生的信，在信中作者描述了沿途的所见所闻所感所思，既有当地政府的腐败堕落，亦有普通百姓的蒙昧麻木，更有觉醒了的民众的积极抵抗。全书每一篇文章都在向全国同胞大声疾呼：当前时代虽然“一团黑漆”，“但是我们的前途是光明的，胜利的。要记住过去的屈辱，认定正确的路线，鼓起斗争的勇气，担当历史的使命。让后代的人们知道，最后胜利不是属于帝国主义者，到底是属于被压迫人民啊”！

本书由生活书店1936年11月初版，1937年3月再版，本次出版即以初版为底本。

杜重远（1897-1943）吉林怀德（今公主岭市）人。早年留学日本，曾任奉天总商会副会长。“九·一八事变”后，在北平参与组织东北民众抗日救国会。1934年在上海创办《新生》周刊，因刊登《闲话皇帝》一文，被国民政府以“妨害邦交”罪判处徒刑一年零两个月。西安事变中，赞成中共和平解决西安事变的方针，拥护抗日民族统一战线政策。1938年被聘为国民参政会参政员。1939年任新疆学院院长。1943年被军阀盛世才秘密杀害。

生活·读书·新知三联书店

2013年8月

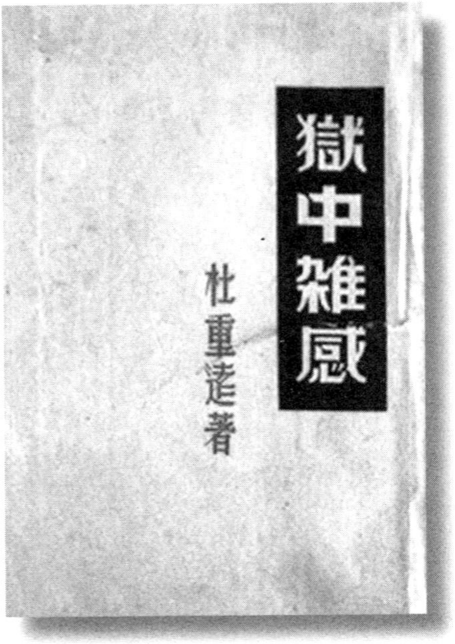


生活书店 1936 年 11 月初版书影

# 獄中雜感

每冊實價國幣陸角

著作者 杜重遠

經售者 各大書店



中華民國二十五年十一月初版

原书版权页

# 目次

# 序

杜重远先生是一位精明干炼的事业家，他一向不注重做文章，甚至不相信他自己能做文章。当我主持《生活周刊》笔政的时候，他为着抗敌救国运动，四方奔走呼号，我约他在工作余下的一些时间，偷闲替《生活周刊》写一些通讯，他总是很谦逊地推说不会写，后来经我再三催请，他才写一点。但是不鸣则已，一鸣惊人，我觉得他愈写愈好，他自己也越写越起劲。正是因为他富有实践的经验，不是为做文章而做文章，所以他的作品感人特别地深，使读者得到的益处特别地厚。

我深信读者诸君从这本书里可以看出杜先生是一个血性男子；我把杜先生视为我的最好的一个朋友，就因为他是一个血性男子。因为他是一个血性男子，所以他对于救国运动能始终不懈地向前干去；因为他是一个血性男子，所以他不但自己能那样干，并且能吸动许多人一同干去。

此外我知道杜先生的性格是嫉恶如仇，从善如流。他对于朋友们的意见，最能虚心倾听，一觉到你所说的是合于真理，他就慨然赞同，毫无成见。

我们希望杜先生为国努力，前途无量，这本书里所表现的只是他的未来事功的沧海之一粟罢了。

韬奋记于生活星期刊社
廿五，十一，三。上海。

著者近影

一九三五年七月因新生事件入狱

在狱中时因病改押虹桥疗养院

# 谈　死

死有重于泰山，有轻于鸿毛，这是中国的两句老话，意思是说有值得死的，有不值得死的。所以人到了危难的关头，要先量一量分量，然后再下一个死的决心。不过这个分量的轻重也要随着时代和方向而有不同的判断。比方说在封建气味最浓的时期，提倡什么忠君咧，死节咧。一个十七八岁的大姑娘，听说她的未婚夫"呜呼哀哉"了，她连一面还没曾见过，便要服毒殉节。一般亲友们非但不替她可惜，而且还要建碑立坊，大事彰表；像这种死法，在现在争求男女平等和经济独立的女士们看来，真是一文不值的蠢事。再比方说意大利的黑衫党棍们为的侵略阿国土地，冲锋陷阵，死而无悔；这在黑衫宰相看来，自然是欣赏不已，然而在主张正义的人们看来，简直是一堆死狗！时代和方向若不先弄清楚，呆头呆脑的死去，自己以为是重于泰山了，其实还不如一个氢气球！

又有人说，人有死在手上的，有死在脚上的，这话怎讲呢？譬如苏联的列宁和印度的甘地，一生都是求民族的解放，为大众而牺牲，一旦死了，民众必捶胸顿足，惋惜不止，这叫死在脚上。又如帝俄的沙皇和法国的路易十六，他们是专谋一己的私利，摧残民众的魔王，死的时候，民众反鼓掌称庆，这叫死在手上。好友戈公振先生最近欧游归来，拿他几十年的学识经验和几年的海外观察所得，正要为民族解放努力，不料到沪未久，与世长辞，消息传来，中外悲悼，好像几千百个朋友也拉不过他这一条死线似的，其重量虽然不比泰山，也总算是死在人们的脚上了。

每天翻开报纸看看，强敌压境，江河闹灾，为整个的民族设想，死神已经布满了宇内（少数汉奸民贼自然不在此列），就拿上海一个地方而论，有的跳楼自杀，有的服毒自尽，有的全家共死，有的夫妇偕亡，他们在临死的时候，自然顾不到什么泰山鸿毛，更管不了什么手上脚上，在这帝国主义穷凶极恶刀架在颈上的当儿，大家求死不遑，那里来的活路呢？

可是话又说回来了，我们要想活的出路，必得先有死的决心。与其一个一个的死，一家一家的死，或者一镇一镇的死，何如组织起来，联合起来，大家站在一条战线上，向封建势力而搏斗，向帝国主义而厮杀。我们集四万万个鸿毛堆成一座庄严的泰山，奉劝死在手上的先生们，都来死在脚上吧。

（十一月九日作于狱中）

# 爱谁的国

在《大众生活》的创刊号里有一篇景观先生作的《爱国论》，我最喜欢读它，因为他的道理既然讲得十分透澈，而文字又非常浅显，真不愧是一篇大众的读物。他把爱国两字详细的解剖了，“国是什么”，“国有什么可爱”，“爱谁的国”，“怎样人才能爱国”，“怎样才算是爱国”。讲了这许许多多的道理出来，然后他在后面又条分缕析的清清楚楚的谈了一大套，不必我再来赘述。我对于“爱谁的国？”这句话，觉得既幽默又亲切，发生了一些感想，要在这里再补充几句。

一个庞大的中国，的确是包含着等等不齐的国家观念。比方说去年我到陕西去，听说距西安一百八十里地方，有位前清的老进士，他住在土洞里，天天慨叹着“世风日下”“人心不古”，他不但不相信世界进化到几万里可以直接谈话，几分钟可以驾雾凌云，甚至连轮船火车他都不承认它实体的存在，因为他是一向没有看见过。一天有一架飞机轰轰地从他那小小的天空飞过去，村里人都跑来喊他看飞机，他硬着头皮说不是。村里人便问他不是飞机是什么呢？他说那叫“国家多灾”“天神下界”。他不但出之于口，而且还要笔之于书（听说写了很厚的一本），书的名儿就叫《辟邪说》。像这样七八世纪的老古董自有他的所谓“国”。还有上海的摩登女士们，天午未起，夜半不眠，吃洋餐，舞狐步，闲来看看武侠恋爱或侦探的影片，闷了扭开无线电播音机，听听“哥哥我爱你”的歌曲。她们那里会知道人间的愁苦事呢？她们自有她们的所谓“国”。又如一些变相的洋奴们，把外国的洋货一五一十的运到祖国来，把祖国的原料一车一船的送到外国去，他们从洋大人吮吸下来的中国大众的膏血分出一点余润，他们也自有他们的所谓“国”。再有一些汉奸们，披着人皮，干些鬼事，“吃刘秀的饭”“给王莽效劳”，口头上还讲着复仇雪耻一片大道理，暗地里一宗宗一件件的都出卖给敌人了，他们也自有他们的所谓“国”。至于军阀们只爱他们的地盘，官僚们只爱他们的官儿，土豪劣绅们只爱他们那种强取豪夺的势力，他们也都各自形成他们自己的一种国家观念。这么看来，我们倒是爱谁的国呢？

景观先生明明白白的告诉我们说，中国是中国大众的中国；我们也许还可以说，中国应该是中国大众的中国，或可以说，我们应该努力使中国成为中国大众的中国。那么我们只有爱这大众的“国”了，换一句话说，就是要为大众来努力。然而这大众的国的确不是好爱的！大众要耕田，偏偏有人逼他种大烟；大众要制造国货，偏偏有人贩些洋货来；大众要学科学，求知识，偏偏有人提倡读经念佛，送往牛角尖里去！毒虫猛兽布满了全中国，几于到处都是大众的仇敌。我们要爱这个大众的国，就有些人们在那儿下绊脚石。我们必先巩固了大众的力量，铲除一切的恶魔，然后大众才有生路。

（廿四年十一月廿五日）

# 金字塔上的人们

在上期里跟在景观先生之后，拉杂的写了一篇《爱谁的国》，我觉得没有什么意思，本刊的主笔先生却给我发表出来，于是我大起胆子再替景观先生补充一些。

提起“怎样人才能爱国”和“怎样才算是爱国”，这又要看看你所处的是什么时代和怎样形式的国家。在我们中国，“爱国”两字从来被一部分人包办去了，劳苦大众向不能与闻的。你不看乡下的旅馆小店里，不是常常贴着“莫谈国事”吗？国事连谈都不许你谈，还能许你爱吗？这是啥个道理呢？自然他们也有个原因，中国原是个地大物博的国家，几千年来都是度着农村经济的生活，而政体又是一个十足道地的专制政体，所以劳苦大众们只要能够勉强安居乐业，旁的事情便无所求了。少数的野心家们你争我夺，抢来抢去，一部廿四史只演了几十幕的“取成都”，与劳苦大众的生活上并没有多大的关系。在这样的时代里，只有少数的野心家们配谈爱国，而所爱的又是他们自己的国，劳苦大众们对这些事是不大起劲的。然而野心家们虽然无须乎大众们来爱他们的国，可是最怕大众们起来抢他们的国！于是便造出种种的毒素来麻醉大众，使大众们都呆头呆脑糊里糊涂的，他们便容易统治了。

第一，他们先造出一个金字塔形的制度来；什么天子，诸侯，大夫，士，庶人等等的阶级，为便于层层的剥削。第二，他们提倡迷信。什么天子是承天而来的，是龙变的，其余诸侯，大夫，士，也都是顶着星辰下界，有虎变的，有豹变的，还有狗熊变的云云。我还记得在小的时候，先生为我们讲《尚书》，说什么商朝的祖先是女人吞了个燕子蛋，就产生天子了；周朝的祖先是女人踏了大人的脚印，就感天而受孕了。在那个时候，我常常奇怪这些鬼话。其实现在想想，还不是一些私生子找不出主儿，这笔账都赖到上帝的身上去了！根据他们这种制度，就造出种种道德的观念来，什么君贵臣贱，什么主忧臣辱……劳苦大众们是“注定”了的奴隶命，所以有“只许州官放火，不许百姓点灯”的怨言。而最倒霉的还是大众中的女性们，几千年来中国的女子只配作傀儡，养孩子，没有整个“人”的地位。男子阔起来可以三妻四妾，受社会的尊崇；女子要是偷了个汉子，便斥为妖邪，打入地狱，像“活埋小孤孀”那种把戏，在旧社会里不知演了多少起呢！在这种时代和这种形式的国家里，人生哲学是向上爬，登金字塔，国家民族的观念是很薄弱的。而闭关自守时的中国，不受什么异族的凌侵，爱国二字根本和劳苦大众无缘。历史上虽有五胡乱华元清入主中原的事实，中国的士大夫们是学会了阿Q的精神胜利法，说什么用夏变夷，蒙古文究竟打不倒方块字云云。

可是近百年来情形大不相同了！帝国主义者为推销他们的商品，掠夺他们的原料，携着飞机大炮鸦片海洛英，杀到了这个长眠不起的古国，不让五鬼分尸，唱出“机会均等”的口号来，偌大的肥肉，早就吞在洋毛子的肚里去了。因而金字塔下的人们也有点觉着不妙，单单驮着这座金字塔还能“吃得消”，若落在洋大人的嘴里，可就难得翻身的日子了。于是“爱国”的呼声便风起云涌。最初的办法是要推倒这座金字塔，解放出劳苦大众们，好对付那些洋鬼子。不料金字塔仅仅脱去一层外衣，封建的余毒一直残留到现在，有许多的革命志士们，在金字塔底下的时候干的非常起劲，一登上金字塔，情形便不同了。穷小子得了狗头金，便不认识他的老乡了！有人说民国以来的新官僚比前清时代的老官僚还要腐败到千百倍。这话也不无几分可信。前清时代的老官僚不会住洋房，今天的老爷们起码要有三处别庄；前清时的老官僚有钱只知买庄田开当铺，今天的老爷们懂得农村破产，市面不景气，把钱都换上美金英镑，打发出洋去了；前清时代的老官僚只会玩丫头讨小老婆，今天的老爷们明白自由恋爱，捧明星，睡舞女。国难发生以来，老爷们告诉我们说要卧薪尝胆，忍辱负重，我们偷偷的看看，老爷们却卧的是鹅毛绒，尝的是鱼肝油精！这还不够，摆在面前的是一批批地投降或准备投降敌人！我们这些阿斗们醒醒吧，金字塔上的先生们是不大可靠的，国家是大众的国家，还是大众自动起来爱它吧！

（廿四年十二月三日）

# 一件傻事

读了《大众生活》第四期毕云程先生批评胡适之先生《敬告日本国民》一篇文章，我便找着胡先生的那篇大作详读一下，不禁失笑，因为在七年前我也干过类似这样的一件傻事。

胡先生在那篇文章里，开头就说日人室伏高信请他写这篇文章，他接到了题目，三个月不曾下笔，一小半是因为他太忙，一大半是因为他深怀疑这种文章有何用处。我想这“一大半”恐怕不过胡先生迟迟其“写”的真话，因为若真是这样，索性不写了。据我看，以胡先生那种文学的高才，三个月还交不上这本卷子，原因恐怕是我们这个拆烂污的国家，实在是太提不起气来向人家写什么的缘故。话说得太软吧，丢自家的体面；话说得太硬吧，又没人给你兑现！毕竟胡先生是个老文学家，在这种无可说的中间，他倒洋洋洒洒的说了一大套，不过归纳起来，也只有三句话：

第一句话他说："我十分诚挚的恳求日本国民不要再谈'中日亲善'这四个字了。我在四年之中每次听到日本国民谈这四个字，我心里真感觉十分难受，——同听日本军人谈'王道'一样的难受。"我很佩服胡先生这几句话说得有骨气，只不过把个对象弄错了，应该对日本军人而发，不应该对日本国民，因为日本国民一样的蒙在鼓里啊！

第二句话他说："请 ×× 国民不要轻视一个四亿人口的恨仇心理。"这句话就有点没劲了。他又申述："我们知道日本军人的侵略野心是无止境的，满洲不够，加上了热河，热河不够，延及了察哈尔……华北五省又都有分割的危险了……"又说："中国人的忍耐是有尽头的，仇恨之上加仇恨，侮辱之上加侮辱，总必有举国反抗的一日。阿比西尼亚反抗意大利的榜样最可以引起中国人民的反省……我们难道不能学阿比西尼亚吗？"放了一大阵空炮，归根到底还是拉阿比西尼亚的抗意的事实替自己撑撑腰。我很替胡先生担心！假设日本国民反问一句，胡先生既然这样的愤慨，你们为什么不学阿比西尼亚呢？我看还有什么话说！

第三句话他说："日本国民不可不珍重爱惜自己国家的过去伟大成绩和未来的伟大前途。"他希望日本能顾到这一点而"悬崖勒马"。胡先生既然知道"日本人的侵略野心是无止境的"，为什么反要希望什么"悬崖勒马"呢？这不是与虎谋皮吗？好在胡先生一开头就感觉到这文章是没有什么用处的。

于是我便想起在民国十七年的秋季，东北还是我们完整的国土的时候，日人要在辽宁东边各县添设领事，政府应付无策，要借重民众的力量来抵当一下。那时我刚由日本回国不过四五年，抓住这个御侮的机会，要大大方方的干他一下。本来我是担任辽宁省商会的副会长（这里为叙事便利起见，并不是表示我的身份），当时所谓民众团体，有省议会教育会农会工会等；他们那几个团体得到当局许可之后，照例的开了几次会议，发了几篇宣言，便算交卷了事。可是对方熟悉中国的情形，这套把戏他们是不怕的。我们便扩大组织，充实力量，一方面联合各县商会和各省商会从经济不合作入手，一方面草拟宣言，遍访各国领事，招待中日新闻界（当时东北无欧美记者），从宣传入手。我还记得在招待日本记者的时候，当面就吵起架来。好在我拉住一部分日本的同情记者，闹得不欢而散。随后两方面就开始新闻战了。那一方面就用特号的大字发表我是御侮的“巨头”，这一方面，就暴露对方种种的罪恶。正在这大吹大擂旗鼓相对的期间，日本全国的中小学校长代表到东北旅行来了。于是我就奇想天开，要用我们这御侮的机关来招待他们这群日本教育家，和他们作一次国民的外交谈判。他们居然答应了。这时为我拉线的有几位日本的同情记者，因此我们在商会里开了一次盛大的欢迎会，招待他们二百多人。我利用这个机会，就发表了一个长篇的演说。

开头我说我在日本有七年的历史，日本是我第二个故乡，今天看见我第二故乡的朋友来，我是怎样的高兴。他们一个个都眉飞色舞，觉着这话顺耳。

其次我就谈到廿岁以前没出国时对于对方的感想。当时将对方在东北怎样豢养土匪，怎样贩卖鸦片白面海洛英，和怎样欺侮中国老百姓，证据确凿，如数家珍，说得痛切的时候，我挥着拳头，恨不得……这些先生们一个个目瞪口呆，以为我在发狂呢。

最终我又把话拉回来了，我说等我到了日本之后，感到日本非常文明，师长们待我非常的亲切，同学们对我非常的和蔼，内外相差如此之甚，究竟是个什么道理呢？据我后来研究的结果，因为对方近视眼的政治家派些穷凶极恶的浪人到东北来，专为巧取豪夺，干这些不体面的勾当，所以种下这两个民族的永远仇恨。诸位都是教育家，应该如何设法要铲除这种祸根，方为两国之幸云云。

我下台后，掌声如雷，每人都要和我交换卡片，并不断的有人登台大讲特讲，什么这是中国真正的呼声，又是什么这是他们莫大的耻辱，他们没出国以前，各处报纸大事宣传着中国怎样怎样的“排外”，今天他们到了“排外”的大本营了，原来还是这么一回事，他们明白了，他们要回国通告全国的中小学生，不要再受当局和报纸的麻醉了。大家感情异常兴奋，甚至后来听说沈阳的总领事来埋怨他们不该受我们的招待时，他们就和总领事冲突起来。总领事请他们吃饭，他们就有一半不出席。我们能说日本国民没理性的吗？我们能说日本国民是不爱好和平的吗？然而今天的事实又怎样？问问他们愿意通告全国的中小学生是可能吗？他们能摆脱报纸的麻醉吗？他们要这种光荣吗？所以胡先生的《敬告日本国民》能否得到他们的同情，且不去说它，就是同情了又怎么样？

“一·二八”上海打仗的时候，我有个好友还在日本的大学里读书，等到《协定》签字的消息传到那边去，日本前进的教授们急的直跳脚，问我那位朋友说：“我真不明白你们中国政府的心理，仗已经打到这个地步了，再支持两个月，这方面的内部就要发生变化，为什么要签什么《协定》呢？”

还有，“九·一八”事变发生的时候，币原外相曾说日本侵略满洲如同吞了一颗炸弹。现在对方所以这样的猖狂，因为他们开出的支票被我们一五一十的兑了现。日本国民受了军阀的害，间接受了我们的累。人家（日本国民）不和我们算账倒还罢了，我们还有面孔向人家“敬告”吗？

（廿五年十二月十日）

# 谁的和谐运动

友人卢作孚先生发表了一篇《和谐运动的具体意见》(见十月廿七日的《大公报》),这在渴望着和平统一的国人看来,是多么值得注意的一篇杰作。卢先生是我好友,而且我是一向钦佩他的为人和服务的精神,不过对于这篇文字的过度乐观,我却有点意见愿补充一下。老实说,中国的和谐不和谐的问题,只在少数巧取豪夺的野心家,不在多数的劳苦大众,因为多数的劳苦大众,一向是和谐的。山西人可以到山东来作客,河北人可以到云南去结婚。马将军在黑龙江抗日二载,踊跃输将的有着海外的侨胞和全国的大众。十九路军在“一·二八”血战的时期,上海的民众欢呼若狂,国内外的捐款也争先恐后。这么看来,谁能和大众立在一条战线,谁就和谐成功;谁若丢弃了大众,谁就孤家一人,尽管有一些喽啰们对他称孤道寡，也不过是水上浮萍，昙花一现罢了。

话虽然是这么说，可是有政权的人，和跟在政权者屁股转的人们，一向是不大相信大众的。那些颐指气使高高在上的老爷们，我们姑且不必论他，就说社会上一些自命不凡的名流学者，或作过几天小官，当过几天教授的先生们，一同他们谈起国事来，他们总是愁眉苦脸，大骂中国的民众不争气，不是衣服穿的脏，就是面孔生的黄，没给他们建下巴黎样的凯旋门，没给他们铺成柏林式的柏油路，好像一切亡国罪恶，都在这般肮脏大众的身上。他们心里想，若是没有这般肮脏大众，也许他们同着碧眼高鼻或和服木屐的“优秀民族”们早就打成一片了！

其实这些人们一二十年前也都是一些穷光蛋，不过因缘时会，吸了几年洋气，吃了几年洋餐，回到国里来利用这个次殖民地的“破落户”，发了几十万圆洋财，面也团团了，腹也便便了，于是数典忘祖，胡骂一阵。因此我便想起中学时代一段小的趣事来：有同学某君本是一乡巴老，来到省城读了几年书，洋楼也住上了，制服也穿上了，一天他的老父亲由乡下来看他，这位老头儿本来是一个老农夫，衣履当然不能十分讲究，某同学会见之下，觉着这个土爸爸有点儿丢他的面子，不大高兴。同学们问他你的那位是谁，他说是他家里的一个老更夫！天不作美，偏巧同学的当中就有认识这位“老更夫”的，当场向他拆穿，这位仁兄面红耳赤的说，我不过向你们说说笑话罢了。这位仁兄住了几天洋楼，便忘记了他的老子，难怪现在有权势有“学问”的人们，都不认识他们的同胞大众了。

今天的中国新官僚谁不腰缠累累，拥资几十万几百万，甚至几千万的，国币不妥当，早就变成洋币，存到伦敦纽约巴黎或东京去了。东建一楼，西筑一阁，狡兔有三窟，他们已经备好了四窟五窟六窟了。国难愈形严重，他们对大众的距离也就越发辽远。就是东北沦亡了，三千万个大众丢在水深火热中去受罪，试看看租界上东北的寓公们，一榻横陈，八圈麻将，到国府称元老，在敌国称贵宾，既不失乎清高，反而得到实惠，天下还有比这更便宜的事吗？在这种情形之下，有任何和谐的方案，还不是少数人们的分赃把戏，对大众有什么关系？对国难有什么补救？

（廿四年十一月二十日）

# 狱中的收音机

大旱的年头，人们盼雨的情绪，比任何事项多来得热烈。可是天公每好和人们开玩笑，一片黑云悬在空中，人们正手舞足蹈的以为甘霖可以下降了，而一阵轻风又把浮云吹得体无完肤，人们满腔子热望，不得不由摄氏寒暑表的一百度降到零度以下。

我想一个被压迫的民族，被人压迫到透不过气来的时候，希望发动一次民族的战争，这情绪与“大旱之望云霓”是没有什么两样吧。不要说别人，就拿着一般人所认为冷酷无情的狱卒们，在前些日子，也有点大改常态了。不是这边喊着人们已经精诚团结啦，就是那边嚷出上海“一·二八”的光荣又要到来了。每逢走过他们面前的时候，我总是板起面孔来保守我这“囚犯”的尊严，可是他们却要嘻皮笑脸的愿意和你攀谈：“啊！杜先生，你的官司快要吃到头了吧！”

我一怔！“怎么讲？最高法院的判辞下来了吗？”我是这样的问着。

“不！这与最高法院有什么相干，我们快和 ×× 开仗了。”他们这样的答着。

我倒奇怪起来。“我的刑期明明等着最高法院来裁定，你们怎么说些什么打仗的事来，这与我有什么关系呢？”我又反问了一句。

他们都笑了：“杜先生，你的罪名不是妨害邦交吗？这个鸟气的邦交我们不要了。你不是没有罪了吗？”他们却这样的答我。

我说：“邦交要不要，你们怎么知道呢？”

他们说：“啊！你没看报吗？这几天南京开着会，中国的要人都来了。他们正在精诚团结‘一致对外’呢。连久住泰山的那位冯老英雄也来了，这还不算，听说龙华附近还派来了四五十万的大兵呢。”

说的时候他们那种兴高采烈的神气，真是笔墨难以形容！

我说：“真要打起仗来，你们怎么呢？”他们说：“我们甘愿丢弃这七只老洋的差使，到前线去干他一下，弄个你死我活！他妈的，太不让我们出气了！”接着他们又把他们当年打仗的经验讲了一大套，大概这些人们都是久混行伍出身的。

经过这次谈话之后，不久便有一位东北的老乡来看我，一见面先对我告诉："中国要和 ×× 开仗了！"

我问："你在那里听说的呢？"

他说："伪国那边报纸上天天载着中国是如何如何的准备，又如何如何的联俄联英而且在最短的时期就有实现的可能。所以那边的侨民一个个惊惶失色，搬家的搬家，回国的回国。（他们知道他们的性命也不是拿豆腐换来的。）可是这么一来，东北的知识分子又倒了霉了！那边的宪兵队和警察队天天出来捕人。青年会，教会，外国医院，外国银行……凡是与外国有关系的中国人，都被他们捕去了。进门先灌你三桶凉水，然后再打你二百棍子，弄得你不死不活的！叫你随便认了一种罪名，羁押多日，才放出来。等到出来的时候，差不多都成了废人了。听说有些人们已经疯了！这还不算，各学校各机关大事裁人，硬说是思想过激，不合‘王道’，所以那边的同胞们人人自危，天天盼望着中国赶快出兵，无论贫富，实在是活不下去了！”

那几天凡是来探监的人，都是活龙活现的谈着打仗的事情。可是空谈尽管空谈，事实还是事实。在这大旱的年头，雷声越大，雨点却越稀。

于是最近来看我的朋友们，那论调就有点与前不同了。最使我奇怪的是一位老成持重的老先生，一向是主张和平的，这次他倒发起牢骚来了。说什么中国养了许多的兵，国家到了这步田地不出来卫国，还留着干什么？我说：“报纸上不是发表过了吗？不到最后的时期是不便牺牲的。”他瞪起眼睛来问我：“什么算最后的时期，我以为沈阳失陷那就是最后的时期了！沈阳不打，到吉林，吉林不打，到黑龙江；黑龙江幸而出来一位马将军，总算给中国人争了一口气，但只是孤军苦战，没有后援，于是又到了锦州，热河，长城，古北口，一直到了……你说现在还不到最后的时期，那么最后的时期究竟是那里？冀察丢了还有鲁豫，鲁豫丢了还有晋陕，晋陕丢了还有江浙皖赣湘鄂……那么最后的时期也许就是丁文江先生所说的‘勘察加’了。可是问题在这里，到了‘勘察加’以后，为我们打仗的人还有谁呢？”我说：“老先生，你的精神太兴奋了……”

我在狱里把这各方的怨气呼声，都收拢在一起，像收音机似的，再放射在大众的面前，让大众来领略领略。自然，在百乐门的跳舞厅或大光明的影戏院，弥漫了爵士音乐或歌声的地方，这种悲愤之音是混不进去的。然而我却怀疑那种热锅里的游鱼还能快乐到几时啊？

（二十四年十二月十七日）

# 青年的爱国义愤

自从《大众生活》出版以来，我又“瞎三话四”的写了几篇文章，惹得有些朋友们提心吊胆，不断的向我下警告，说：“你不是一个自由的人哪，倘再闹出一差二错的，你个人的关系还小，不要连累了宝贵的刊物啊！”经过这许多的劝告，我拿笔杆的兴趣也就无形消失了。虽然本刊的主编先生还是一再的说，本刊注重在分别是非而不在利害，我一想我终究不是一个写文章的人，本刊的作家都是有多年文学上修养的，篇篇锦绣，字字珠玑，加上我这一个半路出家的“烧窑匠”，似乎也不大合体裁，预备从上期起不再写了，可是看了这两期本刊上所评述的学生运动，又听到外边的种种谣传，怒火上冲，血管涨裂，如鲠在喉，还是一吐为快。

老实说，这次学生运动纯粹出于爱国义愤，加上四五年来的重重郁结，尤其是最近几月的种种刺激，所以一经开始，如江河决口，如火山爆发，触风沙，冒霜寒，水龙大刀毛瑟枪……任何武器，在所不惧。这种情景，可以震天地泣鬼神，比世界上任何勇敢民族，都当之而无愧。中央与地方当局应如何探本溯源，自己问问自己对国事应有怎样抢救危亡的实际行动，乃表现于报端者还是“读书救国”“安心受课”“军警包围”“校门上锁”……一套旧把戏。在这种敌机轧轧敌炮轰轰之下，姑无论学生们无从安心，也无法安心，就是依了当局的宏愿，学生们像绵羊似的服从指导了，上课读书了，而外患日逼一日，所读的书籍，逐步的离开了祖国，都是所谓“特种教育”，就是教好了一千个一万个博士出来，还不是替人家养成了郑孝胥赵欣伯殷汝耕……一群特号汉奸，请问叫他们（或她们）去救谁的国呢？近来因为学生的运动逐渐扩大起来一些，“老成谋国”的先生们无法制止，于是便造出来种种谣言，不是某党某党的鼓动，就是某人某人的贿买，把一些纯白无疵的男女青年，硬要灌他们一头狗屎。这种阴贼险狠的心理，甚于祸国殃民的汉奸！我们要大声疾呼，打倒这些狗仔！据说这次为首的学生，都是平日用功读书，不好参与党派工作的，逼得他们实在是无法读下去，才发起这种运动来。请问在一党专政之下，有怎样的天党，有多大的金钱，能于一礼拜内发动了几十万的全国学生运动？至于运动爆发之后，少数学生或因感情过于激昂，或因被当道压迫过甚，就是闹出一点“越轨”的行为（我却寻不出），在没讨过三房姨太太抽上十年大烟之前，他们有的是膂力，有的是精神，这也是情有可原的。不要说这些天真烂漫的学生们，就拿记者来讲，在黑水洋里混了十几年，总算是受过旧社会的洗礼了，然而这一股热气还没完全凉尽，有时冒出几句人家不喜欢听的话来。最近有人报告我说：“有人说你左倾了。”放他娘的狗臭屁！中国弄到这步田地，有个地缝我都愿意钻进去，还谈什么左倾右倾！听说在这次的游行里，从无自动与军警冲突的，都是因防卫而受伤或被捕，谁有“越轨行为”？我敢问！

其实学生是有感情的有理性的，只要负责者拿出真诚，拿出救亡办法来，有着实际救亡的行动，学生是容易领导的。第一我们要问中国今天是什么时候了，是不是逼到了一个非常的时期呢？如果负责者认为这是一个非常的时期，国亡无日了，在负责者是不是有一种非常的表示呢？所谓非常的表示，不仅发了几个通电，或新年不见外宾，不行团拜礼，就算了事，必得有御侮的实际行动。阿比西尼亚的自卫斗争不是给我们一个很好的榜样吗？他们那样情形之下，学生们努力工作之不暇，还有话说吗？我国年来汉奸和变相汉奸的丑剧愈演愈多，应该是谁的责任呢？学生是有耳朵的，有眼睛的，有良心的，在他们耳朵没聋眼睛没瞎良心没死以前，怎能忘掉这一切呢？所以说这次学生的运动表面上像激于目前的华北自治而骨子里确是蕴藏已久的抑郁愤懑啊！

最后我要劝告全国的同学们，你们的志趣要坚，你们的步骤要稳，你们的目标要纯，请愿不过是你们动作的发端，而不是你们动作的结尾。你们动作的结尾，应该是鼓起民族的战争。你们要想请愿，答应了你们应该怎样办？请愿不答应，你们应该怎样办？请愿答应了而不实行，你们更应该怎样办？这一切一切，须有详明的计划，严密的组织，进行的步骤。你们不要以为少数同学遭了摧残，而就认为失败了，这正是你们的成功啊！

虽然少数的汉奸官僚们也许不高兴你们这种举动，因为耽误了他们的生意了，可是四万万的同胞大众都为你们作后盾啊！世界上有理性有公道的人类，都为你们祝胜利啊！你们不要认为水龙头大刀队是可恶的东西，今天东北的学生和朝鲜的学生想要看看这些东西都是不可能了！他们要动作，只有尝“卫生丸”吧！我的主张，国势危殆危到了这样急迫的地步，凡是能立在救国的共同目标上的人们，都应该结成“民族联合战线”来共同奋斗，发动这个“民族联合战线”的责任，固然不是青年诸君单独要努力的，但是推动的责任却在诸君的身上啊！

（二十四年十二月廿八日）

# 《新生》周刊发刊词

一个新的刊物出版，照例要有一篇发刊词。《新生》周刊是记者邀集几位朋友共同创办的，几位朋友要我负担编辑发行的责任，因此在本刊第一次和读者见面的时候，应该先来介绍我自己和创办本刊的动机。

我不是一个文学家，也不是一个新闻记者，更不是伟人名流。我从前是在沈阳办过实业的。我曾手创过一个容一千多工人的瓷业工厂。这个工厂依然开着，只是我因为不甘心做 ×× 帝国主义的顺民，所以到如今竟变成一个无家可归无业可图的人了。

我不知道我是那一国人。说我是中国人吗？我的家乡分明已不是中国的土地了。说不是中国人吗？我是和四万万五千万的同胞，在同一环境内，养育长大的；只因为是中国人的缘故，我受尽了人间的惨痛耻辱，有人比亡国奴为丧家之犬，现在我就是丧家之犬了。

“九 · 一八事件”发生后，我疯狂似的东奔西走，呼号全国，听过许多伟人的激昂演辞，看过无数青年的热烈行动。马将军崛起于塞北，十九路军抗战于江南。抵货啊，捐款啊，请愿啊，总算热闹过一回。但是到了现在一切都已烟消云散了，《华北协定》签字了，抗 × 救国运动，都已偃旗息鼓了。连低微的长期抵抗的呼声，也听不见了。伟人名流青年们，都照旧逍遥自在。（自然这里面也有少数是例外。）所剩下的只是东北三千万的“丧家之犬”，在帝国主义铁蹄下活受罪。却又有谁去理会这些呢。

但是正因记者自身经历了亡国的痛苦，所以有向全国民众呼号呐喊的权利与必要。中国国家到了这步田地，不是几个能征善战的军事家，抵抗了一个多月，就可以挽回劫运；也不是几个雄才多辩的外交家，几次的折冲樽俎，就可以解决国际纠纷；更不是几个流氓式的学者，马路上的政客，东拉西扯，抄袭一些新主义，挂起一块空招牌，就能把四万万五千万人，拯之于水火，登之于衽席。在现在必须使大多数民众，对于中国民族的地位，帝国主义的侵略，有深刻的了解，对于民众自身的任务与前途，有切实的认识，方能鼓起民族的勇气和决心。这样便是记者和友人创办本刊的动机。

现在本刊特郑重宣告：

（一）本刊的宗旨是光明正大的，为求民族生存而奋斗；

（二）本刊的态度是无偏无党的，站在一般民众的立场；

（三）本刊的内容是深入浅出的，期成培养新知的园地。

总之，本刊不顾艰困，不辞劳瘁，愿与读者诸君，共同努力，以求实现中国民族的新生。在创刊之初，本刊谨以此自誓。

（二十三年二月十日）

# 救国志士在那里？

“九·一八”国难后，曾有一个时期，抗 × 救国的呼声，喊得镇天价响。可是不到多时，渐渐地低微下去，低微到听不出声音来。到如今，我们却只听得东北的一群无耻汉奸，向傀儡伪帝屈膝三呼万岁的声音了。究竟以前那些救国志士到那里去了呢？我在怀疑着。

还记得小时候，我在东北故乡的一个学塾里，念着“子曰”“学而”。当时就有一大批救国志士，从省城跑到乡间，鼓吹民权，主张立宪政治，把几个乡下土老儿，哄得五体投地。可是后来清廷的资政院设立了，预备立宪的诏旨颁布了（和现在颁布宪法初稿的情形差不多），但是当时的救国志士，都做了官绅，当了议员，包庇烟赌，鱼肉乡民，再不谈什么救国大计了。

后来我年龄渐长，走的地方渐多：由乡村到城镇，由城镇到省会。当时排满革命的风云，播及全国。我遇见了许多仁丹胡，燕尾发，洋服革履的青年们，组织什么暗杀团啦，革命党啦，救国热情，澎涨一时。可是到了清廷退位，民国成立，这些救国志士都变成革命元勋，民国官僚，救国工作都抛在九霄云外了。

以后我跑到国外，又看见许多留学生，爱国的热度的确要比在国内高上数倍。每逢发生重大外交问题，留学生必召开大会。当时就有一班救国志士如梅兰芳扮演“霸王别姬”一样，吊好了嗓子，整好了衣襟，登台大演其说，激昂慷慨，声泪俱下。到相当时期，还要咬破手指，写几段血书。这时台下掌声如雷，空气紧张到万分。我还记得“一炮打倒 × × 桥（× × 政府），痛饮黄龙一杯酒”等等的警句。那时我这个傻瓜，又对这些志士先生们，钦佩得不可名状。以为中国一线生机，都在这些洋学生的身上。可是大会一散，戏唱完了，这些志士们拉着外国的艺妓，狂饮乱嫖，大开成功之宴。因此就风头出足声名大振，归国后，非任部长，便充委员。官运好些，一年便赚下一百八十万，洋房汽车，娇妻美妾，应有尽有，得乐且乐。所谓救国，如是而已。

到了现在，我年龄大了，历世深了，我才有了一个觉悟：我再不希望那些坐拥巨资的来救国，（有钱而干社会事业，当然是例外。）因为他们的钱要存在外国银行，预备作海外的寓公。我再不希望那些饭桶官僚们来救国，（为民众谋福利的当然不在此例。）因为这些官僚，是建基在中国的不良政治上，中国的政治一旦改革了，他们的官也就要丢掉了。更不希望那些洋博士买办来救国，因为他们的面包，藏在洋大人的口袋里，真要把洋大人打倒了，帝国主义消灭了，他们巴结洋人的一副本领，就无用武之地了。倒是我们这些天天劳力的穷苦小百姓们，却不能不救国，也不得不救国。因为国要真亡了，我们的苦头吃得更多，我们的奴性来得更重。所以我们相信真正救国的志士们，应该是在这些穷苦小百姓中间躲藏着。

（二十三年三月日[1]）

[1] 原书缺漏具体日期。——编者注

# “东北人不要忘记是中国人”

今天（三月十八日）清早起来，翻开《时事新报》，“东北人民不要忘记了是中国人”这几个头号字标题触着眼帘。记者也是东北难民之一，见了这标题，怎能不留意读下去，原来底下是说：“《外交月报》社十七日下午五时招待外交部次长唐有壬，到廿余人。主席王卓然致词后，要求唐对该社工作加以指示。唐即起立谈话，略谓本人对于东北问题意见，以为东北四省，用武力收回固不可能；用外交亦有困难。所以吾人现在主要工作，是如何使东北的人民不要忘记了是中国人。因为民族意识消沉最为可怕。如东北人不能保留民族意识，则长此以往就无办法……”（十七日中央社北平电）东北人民受 ×× 帝国主义蹂躏，已经三年了。在南京北平这些大官，早已不把这些亡省奴放在眼中心上了。现在却蒙唐次长以外交家的美妙辞令，赐东北人民以谆谆教导。这是记者要代表东北三千五百万民众，向唐次长道谢。不过记者所怀疑的有三件事：第一，到底是东北人民忘了中国，还是中国政府忘了东北人民？第二，到底是那一种东北人忘了是中国人？第三，怎样才能使东北人民不忘记是中国人？

据记者所知，东北一般民众，自“九·一八事变”发生后，天天希望着政府出兵，收回失地。他们那种恳切的情态，岂止如大旱之望云霓。但是只听政府一回说“长期抵抗”，一回又说“一面交涉，一面抵抗”，现在唐次长又说武力外交都不是办法。东北人民等得不耐烦了，才组织了抗 × 义军，揭竿而起，艰苦备尝，以血肉之躯，与廿世纪最新武器相周旋。两年来牺牲于 ×× 机枪大炮之下者不知几千几万。直至今日犹不断的向 × 军进攻。这能说东北人民忘了是中国人吗？青年学子，激于义愤，相率出走，丐食平津。仅在北平东北大学及东北中学者以数千计。近阅报载北平东北中山中学招生，报名者一千三百余人，而录取者不及四百。失家之后，又继以失学。这能说东北人民忘了是中国人吗？闻东北来人谈，× 兵每当茶余酒后，拿着东北乡下人开玩笑，捉住一个乡下老，劈头便问："你是那一国人？"乡下老直截了当的说，我是中国人。× 兵拳脚交加，乡下老一看风头不对，连忙就说我是日本人。× 兵更勃然大怒，打的更凶。乡下老无法，只得说："我不是人！"× 兵才一笑而去。像这样的东北乡下老"民族意识，过于消沉"，诚为唐次长所不取。可是他若住在北京饭店里，或站在外交大楼上，一手拿着雪茄烟，一手喝着咖啡茶，说不定也要大模大样的说一声："东北人不要忘记了是中国人啊。"

自然唐次长所说的话，是指示《外交月报》社同人，向东北人多作唤醒民族意识的工作，但是我们知道傀儡政府封锁言论，水泄不通。虽私人函件，尚须检查，宣传文字如何能到东北人民手中？再说一句伤心的话，"劣货皇帝"刚一登基，从内地到东北去称臣纳贡的"中国人"，已多如过江之鲫，若真个王道实施，国安民泰，四万万五千万的"中国人"都要视"满洲伪国"为桃源乐土。到那个时候请问怎能使这些十足道地的"中国人"不忘记他们是中国人？这倒要请教唐次长一下！

（二十三年三月十四日）

# 抗 × 英雄的末路

抗 × 英雄这个名词，根本就不大妥当。英国惠灵吞战败拿破仑，没有人称他“抗法英雄”；法国的霞飞，福煦任欧战时联军统帅，也没有人称他“抗德英雄”。偏偏我们中国却有所谓抗 × 英雄。不是很奇怪吗？本刊的寒君在第五期的“小言栏”也曾这样的说过：“国家是大众的国家，× × 是大众的仇敌；反抗 × × 帝国主义是大众的责任，不是几个英雄所能干得了的。”其实凡是不甘心作汉奸亡国奴的，都有抗 × 的责任。现在居然以抗 × 而称英雄，这是为什么？原来中国虽有二百万的陆军，却只不过是少数私人的鹰犬；只有几个花脸大王要争山夺寨的时候，才把他们的鹰犬放出来，厮杀了一回，火并了一阵，然后各自归寨；等到外敌进来了，他们却都像老鼠见着猫，慑声敛迹，连个屁都不敢放。在这里面偶而有几个不会打算的戆大，气不过，和敌人拼一下，民众便莫名钦佩，才送上抗 × 英雄这个头衔。所谓“抗 × 英雄”这个名词，其实却是包含着国家民族无限的悲痛和耻辱啊！

便是这样毫不足奇的抗 × 英雄，为数也寥寥无几。所以一般民众未免对他们估价太高。因为估价太高，所以也就不免对他们失望甚大了。记者于“九·一八”以后，到各省呼号奔走，那时马占山将军正在江桥抗战。长江各省民众疯狂似的替他讴歌颂赞，替他修史作传，甚至把他的像片，供到祖宗堂前。那时记者看到这种情形，暗地里替马将军捏一把汗。到了重庆，有一天，当地绅士们请我吃饭，他们就大谈起马将军的历史来。有人说：“马将军是一个三十几岁的英俊少年，卒业陆军大学，文武全才，他的原籍，就是四川，幼年从父作官到东三省去。……”我家是在马将军十五里的“近邻”。听了这话，也只得唯唯诺诺，恐怕把真相说穿了，倒减杀了他们的一腔热情。他们的意思，好像希望着马将军作一个《西游记》上的孙行者，拔下毫毛，摇身一变，就是三万六千个；一个筋斗就是十万八千里。不怕飞机，不怕大炮，就能横扫 × 军。总之中国既然有抗 × 英雄，抗 × 的责任，索性让他一个人担当好了。

但是天下不如意事十常八九。马将军既是凡人，血肉不能当炮火，步枪不能射飞机，卒至弹尽援绝，逃亡境外。于是民众失望了，由失望而悲伤，由悲伤而怨怼了。对于这位“抗 × 英雄”，渐渐失了敬意。有的说他私德不好，有的说他中饱捐款。最近更有托名他的部下，骂他不会作官，打掉了众人的饭碗。（参看本月七日《申报》所载《亚洲编辑社恐吓马占山案》。）记者于此，深感国民的常识不足，社会的评判不公。马将军始终是一个马将军，彻底一点说，不过是一个普通的军人。抗 × 是军人应尽的天职，本来不必把他捧得那么高。抗 × 失败，也不能怪他一个人，何必把他骂得这么苦。私德不好是他个人自己的事，中饱捐款应清查，与抗 × 无关。可是回过头来看，亲 × 的人们，尽可作大官，不抵抗的军队，反而受上赏。民众无法制裁，舆论不加攻击；这分明是在奖励大家作亡国奴罢了。

（二十三年四月十四日）

# 为丢炸弹与跪哭团谨答读者

最近记者接到许多读者的来信，问及记者对于爱国志士梁桐芳君向奸商丢炸弹及新近上海发现劝用国货跪哭团的意见，记者在这里又要向读者诸君说几句“老实话”了。

记者自东北“九·一八”事变以后，即回到关内，直到现在，无时不在做着抗 × 的工作，最初是到各省向全国的民众宣传抗 ×，其次在上海主持“中华国货产销合作协会”，以提倡并发展国货工业，作经济上的实际抗 ×，最近则更创办《新生》周刊做文字上的宣传。读者诸君，你们看到这里不要以为记者是在这里炫耀着自己的什么了不得的履历，这里，我是要来告诉诸君近几年来抗 × 痛苦的经验和教训，这经验和教训可说也是和上面诸君问的梁桐芳君丢炸弹与劝用国货跪哭团有关系的。

有人说，我们目前的武力抗 × 既然办不到，那么，只有经济抗 × 了，不错，从前记者也曾作如是想，然而现在方深切感到，假如武力不能抗 ×，就连经济抗 × 也不成的了，我们不是天天喊着要提倡国货吗？但是事实摆在我们面前，帝国主义利用了领事裁判权及其他优越待遇，可以在中国设厂制造洋货，以与国货竞争。帝国主义的国家，在中国有租界，有资本雄厚的银行，有内河的航行权，有自由派兵出入中国之权，莫说 × 帝国主义的货物，一船一船的从 × × 载来，就是英国货美国货法国货在中国各地那里看不到？你想，国货在这样的情形之下还会有发展的希望吗？

记者对于跪哭团和用炸弹警告奸商的爱国志士，固不胜钦佩，自然，炸弹政策可以快于一时，但是，汉奸遍地都是，你能一一得而诛之吗？贩卖仇货的，本已没有良心，跪哭能使他动心吗？印度的甘地，他所提倡的不合作主义，总比我们的抵制 × 货有成绩得多罢，然而，到现在，印度仍是处于英人的宰割之下，如果炸弹政策跪哭团等可以奏效的话，那印度更是早该解放的了。

所以，我们应根本的认识清楚，中国国货的不发达，是因为不能和洋货竞争，洋货之所以能在中国到处横行，是因为有不平等条约做护身符。我们要提倡国货，我们要消灭奸商，首先须争得民族的独立自由，这就是要粉碎帝国主义加于中国的枷锁——不平等条约，收回外人在华所享受的一切特权。

爱国的志士们，暂且储蓄着你们宝贵的精力，把一腔热血，准备洒向压迫我们的敌人的身上罢！

（二十三年十一月二十四日）

# 零卖与批发

清早起来，最困难的一件工作，便是看报。把几张报纸翻了一遍，除了些强奸十五岁少女殉情自杀一类的消息以外，再也找不出一些重要的政治新闻。就是有一两条，也只是大官与要人们的谈话。那不看倒也罢了，看了倒反令人更加糊涂起来。尤其是关于外交的消息，报纸上更是讳莫如深。

但是事实到底是隐瞒不过来的。要人们的巧妙的谈话，到底也只能遮掩得一时，到后来却不能不露出马脚了。回忆“九·一八”以后，政府要人不知说了多少次，要积极抵抗，要出兵收回失地，到后来到底没有派过一兵一卒，索性的改作了“长期抵抗”。反而关外的防军撤退到关内，既在华北的防军又陆续调回到南方了。上海和塘沽两次停战协定签字的时候，政府再三声明，系军事协定，与政治问题无关。但是事实放在眼前，××在上海华界建筑了高大的营房，天天向着手无寸铁的中国老百姓示威。《塘沽协定》以后，伪国的飞机翱翔于平津，××的皇军，大操于华北。假如这样算是与政治问题无关，那么是不是必须××军队占领了南京城，那才与政治问题有关呢？

通车通邮的问题，大家都知道十分之九已经决定下来了。连一切实施的办法，都已经商定，只待一个签字的手续。但是外交部的发言人，却还要扭扭捏捏的说："此乃×方单独之意见，我方并未讨论及此，更无任何具体办法决定……"（详见五月二十七日《申报》）也罢，我们就算相信了他，但是天下人耳目，难道就能一手掩尽吗？

老实说一句，不管政府诸公怎样巧妙的掩饰，我们这国土，是老早就在一块一块地零星出卖着。只是因为零卖还嫌不爽气，所以现在正打算批发出卖呢。不是吗？这几天报纸上已吐露了一些王揖唐赴×和中华汇业银行复活，与曹汝霖章宗祥等受×方勾引，重复投资该行的消息。我们知道汇业银行是××财阀和中国安福系的要人所合办的，造成北京政府最大罪恶的西原借款，便是由该银行所过付。目前安福系余孽一个个重行登台。安福要人现任北平政务委员会委员王揖唐，又于此时赴 ×。同时各方面又传闻 ×× 有索还西原借款的要求。这葫芦里卖的什么药，我们虽无从知道，但是段祺瑞和曹锟时代的旧角色登台，唱些什么拿手戏呢？除了张松献图外，大约再不会有别的了。

但是中国人民难道真是这样健忘吗？“五四”时代青年学生痛打卖国贼的精神，难道真已死亡了吗？假定我们不愿意子子孙孙永远过着牛马的生活，不愿意忍受着 ×× 帝国主义的宰割，我们会有奋发的一日，比“五四”更壮烈的运动，会一旦到来。还是中国民族的前途，来得久长呢，还是卖国贼的命运来得更长？我们看着罢。

（二十三年六月二日）

# 时代与环境

做人，真不是一件容易的事。在表面上人人在那里用尽心思，为自己打算，好像是处处出于自动。在实际上每一个人的言论和行动，却完完全全受着时代和环境的影响。所以拆穿西洋镜，简直可以说，千千万万人的言论和行动，简直没有一个完完全全的出于自动。正好像有无数的看不见的大号粗麻线，把每一个人的言论和行动在那里牵动着，每一个人自己在不知不觉中，却实实在在做了一幕为时代和环境所牵动的傀儡戏！

在《西游记》小说里，曾经说孙行者翻一个筋斗有十万八千里，但是翻不出如来佛的手掌之中。这不过是一种巧妙的假设，来形容佛法的伟大。现在我想把这个故事来借用一下，以说明时代和环境对于人的一种无形束缚。无论有怎样大本领的人，好像翻一个筋斗有十万八千里的孙行者，用尽力量翻筋斗，翻来翻去，还是翻不出时代和环境的手掌之中。所以我可以很不客气的说一句，全人类中，除了极少极少几个人，在那里用尽心力，要想改造时代和环境以外，最大多数的人，简直可以说，完完全全是时代和环境的牺牲者！

可怜人类自有历史以来，也已有好几千年，始终在时代和环境两个巨魔铁翼包围之下过一种黑暗的生活，始终没摸清楚人类一切痛苦的根本原因在那里。正好像一生一世蒙在鼓里过生活的人，始终看不见鼓儿以外的光天化日！

譬如说，现在我们中国人，大家都感觉到痛苦，但不知道痛苦的根本原因在那里，甚而至于著名的博士还在那里胡说什么贫穷，愚昧，昏乱，衰弱，是中国的病根。不知道贫穷，愚昧，昏乱，衰弱，不过是一种表面的病象，而不是真实的病根。真实的病根是什么？真实的病根，就是现在中国所处的这个时代和环境：一方面帝国主义的经济势力政治势力好像翻山倒海的压迫进来，一方面封建残余势力还没有肃清，在这样一个黑暗的时代和环境之下，中国人的贫穷，愚昧，昏乱，衰弱，乃是当然的结果。所以在维持现状之下，中国人只有更贫穷，更愚昧，更昏乱，更衰弱下去，而没有一丝一毫的希望！

难道我们中国人永远愿意这样做下去么？难道永远愿意在帝国主义及封建残余势力铁蹄之下过一种可怜的奴隶生活么？我想不，决不！我们中国人虽然还有一大部分在那里糊里糊涂过一种痛苦的日子，但是已经有一小部分已经认清楚了帝国主义和封建残余势力是我们唯一的敌人！我们必须把我们所有的力量和我们的敌人奋斗，解除敌人对于我们的一切看不见的——经济和政治的——束缚和压迫，我们必须把我们自己从敌人铁蹄下解放出来，否则我们个人决计不能得到合理的出路！

（二十三年七月二十一日）

# 再论时代与环境

在上一期“老实话”里曾说明时代与环境对于人的束缚，“无论有怎样大本领的人，好像翻一个筋斗有十万八千里的孙行者，用尽力量翻筋斗，翻来翻去，还是翻不出时代与环境的手掌之中”。在这里，我们却还要更进一步的说明个人和时代与环境的联系。

我们每一个人的言论和行动，常是受着时代与环境的影响，不错，但假如我们不是一个机械论者和宿命论者，同时决不否认人的力量。第一，时代与环境固然是束缚人的行动的，但在时代与环境的演进当中，人也常是占着一个很重要的地位，人决不是像一部机器，完全是受时代与环境支配的；第二，如果个人始终是跳不出“时代与环境”的圈子的话，那么，个人大可不必努力，尽管的“守株待兔”好了，这样一来，做人便有任凭摆布，陷入宿命论者主张的危险。为了恐怕读者对于上一文“时代与环境”的误会，所以特地将个人和时代与环境的联系来再为解释一下。

我们知道，时代与环境不是固定不变的，而是时时刻刻在那里变动演进的，时代与环境固然可以束缚我们的行动，但时代与环境的演进，也足以推动人向着新的时代与环境前进的，因为人们认识清楚了时代与环境演进的路向之后，往前努力，也是可以促成新的时代与环境的早日实现；在另一方面说，人们的努力和奋斗，必须适应时代与环境的要求。要是不顾时代与环境，倒行逆施，那么，不论怎样努力，依然不会得到成功的，即使一时的成功，至多也不过暂时阻碍了新时代的到来，终究一定要被时代与环境的巨浪冲毁了的。

举一个比方来说，在黄河的急流中，一只帆船在向东行走，假如不用人力，自然也能达到目的地；但假如再用人力，或把帆船改成为汽船，那么本来须走三天路程的，一天就可走到了。这黄河的水流，就好比时代与环境，可见人要是顺应时代环境的方向，人就有推动社会前进的力量；反之，如人在黄河急流中，向着西行舟，那么也许驶进一尺，又退后二尺，永远不会到达目的地的。

因此记者在上次“老实话”中所说的，人翻来翻去，翻不出时代的手掌，这就是说船在河中驶来驶去，还是在水流中，并不是说一只船永远停在某处的水中，不能驶到了别处去。假如这样说，不是成了刻舟求剑的笑柄吗？其实人类可贵的地方，就是能推动时代和环境。不过在时代和环境开始转变的时候，往往只有少数人知道转变的方向，大多数人无知无觉，而另有少数人却拼命的开倒车，不过到最后，一定有事实分明的一天，大多数人一齐前进，少数开倒车的便完全没落。

因此我的结论是：人能改造时代与环境，但必须顺应时代与环境，人方获得努力的结果。

（二十三年七月二十八日）

# 生路只有一条

“不劳而获”或“一劳永逸”这两句老话，支配了中国人的整个人生哲学。从“九·一八”事变发生起，到《塘沽协定》止，国人始终看重了《国联公约》或《非战公约》，希望着国联出来几个打手，为我们驱除强盗，抱个不平。结果，日内瓦虽也开过几次盛会，而公约等于废纸，决议视同具文。××小鬼不肯买这笔空账。这一个希望失败了，现在又有许多人嚷着×俄战争不久就要爆发，世界大战或不出三年之内，好像大战起来，中国马上得救似的。自然，世界大战，足以促成国际的变化，这是不能否认的。可是我们这些四体不勤的老大国家，除非班禅大师为我们请些天兵天将来，怎能一步踏入强国之境呢？

二年以来，入超的数目，惊人的增高；工商业的凋疲，如江河之日下。国人感经济的压迫，由于东北之沦亡，诅咒时局，诅咒命运，而不察危亡之由。甚至因果倒置，认识错误，有从“伪国”归来，或读过几篇××关于伪国的宣传刊物的，竟大声疾呼，为之宣扬称赞。因此投奔伪国的大有人在。这和军阀官僚们的轻视祖国，看重外族，拿着搜刮剥削来的金钱，存入外国银行，是同一亡国的心理。

中国今日最大的病根，就是全国上下失掉一种自信心，人类本无高低优劣的差别，白种人所能做到的，黄种人也能做到，××人所能做到的，中国人更能做到。其差别在于做不做，而不在于能不能。专想着“不劳而获”，或“一劳永逸”是决无成功希望的。这样的人“不劳而获”是表示着“惰懒”，“一劳永逸”是表示着“取巧”，若能成功，古今中外的发明家事业家的学说传记，可付之一炬了。但是国难以来，由政府以至民众，所表示出来的是什么？除在报纸上看见几个大官拿一柄扫帚扫扫马路或是几个苦力被警察拦住整整衣襟外，有什么新的事业表现出来呢？

数月以来，神鬼花样盛极一时。北平汉口长沙福建成都到处都有“神仙”出现。善男信女们，祈福求祥，络绎于道。班禅大师设坛杭州时，政府大员，社会巨子，顶礼膜拜者不在少数。在政府当局，推崇大师，或别有政治作用，记者不敢妄加批评。然而上行下效，相习成风，阻碍新文化之进展，所关非小。而且大难当前，大家不去奋发抵抗，只打算念阿弥陀佛，求免除这一场飞灾横祸，× 人正欲以佛教麻醉东北同胞，现在不必等 ×× 人进关，而我们自己先麻醉起来了。

其实这些迷信神鬼的人民，有钱在外国银行的大官们，投奔“满洲伪国”的工商业家，依然不会找到出路的。梁武帝信佛戒杀，终是饿死台城。东北汉奸于某卖国，一生所得收入，皆存在 ×× 银行中，不料事变后，× 人竟限制其用途，死后竟完全没收。我们放下一切妄念罢！媚外既徒劳，信佛亦无用，惟有全国民众一致团结，与 ×× 拼个你死我活，那才是中国的唯一生路啊！

（二十三年七月七日）

# 怎能走进一条生路

记者在本刊上期的“老实话”里，说了一大堆：“媚外既徒劳，信佛亦无用，中国唯一的生路，就在跟 ×× 帝国主义拼命。”究竟怎样跟 ×× 去拼命？怎能走进这条生路？读者诸君一定怀疑着，容记者来补说。

记者是始终乐观的。记者相信中国和 ×× 帝国主义的斗争，胜利绝对在中国。理由是什么呢？中国的人口超过于日本九倍。俗语说“好虎不敌群狼”，何况我们都有做虎的资格呢！时常听见有人说，中国人是自私自利的，中国人是贪生怕死的，中国人是不能团结的。好像天下的坏事，都集在中国人头上。其实这都是中国暂时的病态，制度的影响，社会的恶习，并不是人人从娘胎里带来的毛病。帝国主义者故意污蔑中国民族，无耻的高等华人们，也失掉自信，随声附和着。我们打开历史看看，先圣先哲有少多捐躯报国可歌可泣的壮举？有多少卧薪尝胆报仇雪耻的规范？就在目前说，前仆后继的义军，轰轰烈烈的沪战，也大足以惊破敌人的胆魂。所足忧者，只是政府无坚定的方针，社会无健全的组织罢了。

中国此后能否跟 ×× 拼命，就在能否将这大于 ×× 九倍的中国大众训练组织起来，走在一条路上。记者某日与友人聚谈，听说某中学的学生，反对一位饭桶教员，而这位饭桶教员是校长的令亲，校令森严，不予撤换。学生们苦闷无着，后来全体商量一个办法，每当这位教员上课的时候，全体闭目，一致拒听。教员请校长来，则全体睁开眼睛，若无所事。校长去，学生仍是闭目不听。闹得这位饭桶先生毫无办法，结果只得卷起铺盖一走大吉。印度亡于英国，完全失掉一切自由，但甘地一出，以土布政策，风行全国，竟打破英国的经济侵略。可见国人只要有办法，有组织，摧灭强敌，是不难的。

国难发生后，救国的方针，抗敌的计划，连篇累牍，结果都是坐着喊，没有起来干的。老友卢作孚君，却不声不响，躲在四川的一隅（北碚），训练了数百青年，干了许多事业。反之，政府的人们，只说了许多救国的漂亮的话。结果不但敌军步步深入，而且敌货的进口税，反见减低了。

记者敢大胆的说一句，我们要能找出一百个认识清楚彻底苦干像卢君的朋友来，中国就有办法。中国的问题不在说而在干；不是蛮干而是有方法有计划的干；须能推动大多数的人在同一方向上干。所谓少数领导的人才，须有世界的知识，明了中国的病态，具富贵不淫贫贱不移威武不屈的精神，然后散在各方，不管政治如何的恶劣，不管社会如何的污浊，认清目标，埋头干去，应用环境，训练青年，不断的作比较切磋的工夫，不时的提出奖励诱掖的办法。不出三年，一定可造成伟大的运动，其影响于社会及政治的力量，至大且巨。有人说，要能组织起几百万的民众，都向一个方向进攻，等于对 × 打了一次大胜仗。这话我是绝对相信的。若能有几百几千个同志，在各方面不断的努力工作，不断的训练青年，全国总有走入共同途径之一日。到那时候，或用学生闭目拒听的方式，或用甘地提倡土布的办法，都可置 × 人于死地。所以我说，中日斗争最后的胜利，绝对是我们的。

（二十三年七月十四日）

# 中×怎样亲善？

所谓“中×亲善”的呼声，最近是屡次的从××帝国主义的代言人那里喊出来了。“中×亲善”的意义是什么？我们可以断然的说一句：这是×帝国主义者希图消灭中国大众抗×的情绪，散发麻醉中国大众的一种烟幕弹。

不错，中×是应该亲善的，再进一步说，中国不但应与××亲善，且应该与世界上任何一个国家亲善，如果对方的国家是具诚意，以平等的精神来和中国亲善的话，然而过去“中×亲善”事实的表现，我们是不会忘记的。“九·一八”的沈阳事变，“一·二八”的上海的战争，长城各口的战争，以及滦东一带的战争，造成了现在名存实亡的畸形的战区，而三千万的东北中国同胞，至今尚在×帝国主义者血腥的统治下生活着，这些，都是 × × 帝国主义的“中 × 亲善”啊！

× × 帝国主义的此种强盗式的“中 × 亲善”，就无异于打了人家一拳，踢了人家一脚，甚至占了人家的妻子，夺了人家的财产，仍旧腼然无耻的向那个受着侮辱的人说：我们还是如同兄弟一般亲密的好朋友呀，让我们忘去了以往的一切，仍是“言归于好”吧！试问：那被打被踢和被丢了妻子与财产的人，假如他是认清楚了谁是友敌的话，他还会甘心情愿的把那个强暴者当作朋友么?

当然，现在 × 帝国主义者是在那里得意的微笑了。看啦！华人学 × 语的和购买 × 文书籍的是一天一天的多了。据上海的海关统计：本年十个月来 × 文书籍的输入，价值八万八千一百五十五 × 圆，突破五年来的新纪录；又中国人到 × × 去留学的也增加了，据 × 文报说，本年的留 × 学生已增加了三百十七名。这不是“中 × 亲善”的最好的证明么?

如果这样是可以算作中 × 的亲善，那我们更可以说，× 军在中国各地不断的作大规模的演习；× × 武官不断的到中国的内地去考察调查，× 货一船一船的从东京装来，自然，这在 × 帝国主义者眼中看来，更是“中 × 亲善”最高的表现了；但是这样的“中 × 亲善”，是由 × 帝国主义者的武力威胁所造成的，换句话说，这不是亲善，这是帝国主义的侵略。

中 × 要怎样才算是亲善呢？我们可以代表中国的大众对 × 帝国主义说：第一，请你们立即撤退满洲，热河，华北的 × 军；第二，自行的宣布取消在中国的一切特权，重订平等条约。这两件事如做不到，那么，我们就可以知道，由 × 帝国主义者口中所唱出来的“中 × 亲善”的调子，是有着怎样可怕的意义的了。

（二十三年十二月八日）

# “大亚细亚主义”

记者在上一期的“老实话”里，曾为文揭破了 × 帝国主义者中 × 亲善的假面具，这里，便又要谈谈 × 帝国主义者心目中的所谓“大亚细亚主义”了。

自然，在中 × 亲善之下，是必需要来一个“大亚细亚主义”的了。究竟“大亚细亚主义”是说的什么呢？× 帝国主义者为什么不倡大 × × 主义，偏要倡“大亚细亚主义”，而我们又为什么要来反对它呢？

原来“大亚细亚主义”还是我们中国道地的国货，这名词是过去孙中山先生喊出来的，本来的意义，是将亚洲被压迫民族一致的联合起来，去和那侵略的欧洲人抗斗，争得民族上的待遇的平等，换句话说，“大亚细亚主义”就是东方被压迫民族为争独立平等自由的大结合，这一结合因为是以亚洲的被压迫民族为单位，故称为“大亚细亚主义”。

但是，× 帝国主义者脑海里所想像着的“大亚细亚主义”是这样的么？不是，完全不是。

× 帝国主义者幻想中的“大亚细亚主义”，也可以说是大 ×× 主义，它是以 ×× 为中心，以其他国家为臣属的“大亚细亚主义”。× 帝国主义者所以积极的提倡我国的这个国货，并不是对于我们这国货有所爱惜，它是怀抱着极大的野心和目标的。第一，× 人的“大亚细亚主义”，换句话说，就是亚洲的孟罗主义。这玩意儿还是从帝国主义的先进美国那里抄来的，意思是说，亚洲是亚洲人的亚洲了，亚洲以外的人和势力是不准打进来的。为什么不能让亚洲以外的人进来呢？如果彼此是以平等的精神相来往的话。然而 × 帝国主义者是别有用心，这是和美国人嚷的“美洲是美国人的美洲”是同一鼻孔里出气的，这是为的要独自的侵霸亚洲；假如是这样，那么，英人便要退出印度，法人便要退出安南了。“大亚细亚主义”不过是一个好看的幌子，骨子里是拿来作为和别的帝国主义斗法的工具。第二，如果真正的实现了亚洲人的亚洲了，那时亚洲恐怕是只有

大 ×× 帝国吧！前面已经说过，“大亚细亚主义”是以 ×× 为中心的，征服吞灭其他国家的主义，这和过去德帝国主义唱的“大日尔曼主义”没有两样。

现代的侵略者帝国主义究竟是聪明的，尤其是 × 帝国主义，它也会拿“尊孔”，“王道”等等一类的古董，来迎合一般中国思想落后的民众；但是 × 帝国主义者忘记了中国已不是致送“二十一条”的时代了，现在中国大众的觉醒，反帝情绪的高涨，有一天是会使 × 帝国主义者发抖的。

（二十三年十二月十五日）

# “敌乎？友乎？”

最近各报登载着徐道邻先生所撰的一篇长文，题目叫“敌乎友乎”。记者读了以后，觉得这一篇文章，确是近来少见的大作。因为它不但把中 × 外交的症结，细微曲折的道出，而且对于 × × 和中国双方所犯的错误，都尽情指摘。这样大胆的坦白的文字，在最近公开的刊物，的确是不曾见过的。

但是经几次回环诵读之后，记者对于徐先生此文，不免尚有疑问。敢竭愚诚，谨为徐先生进一解。

徐先生代 × × 打算，以为只有“断然归还东北四省，使归属于中国的版图”，方为 × × “妥善的国策”。替中国打算，以为中国“当为 × × 开觉悟之路，不必存投井下石之心”，只须要求 × × “放弃土地侵略，归还东北四省，其他方式，不必拘泥”。而最后的结论则“解铃还是系铃人”，中国自己不能打开僵局，只有××实行归还东北四省，才可以谋中×两国的共存共荣。

曾子说：“为人谋而不忠乎？”徐先生为××打算，可以说是做到一个“忠”字。假如××帝国主义真能“洞明大义”的话，看到了徐先生的文章，一定幡然大悟，立即把东北四省，拱手交还中国政府，然后和中国共这“东亚和平”。这样，徐先生居然以片言收回失地，同时也保全了××不至与中国“共趋危亡”，这不是天下最快意的事吗？

但是天下不如意事十常八九。假如荒木将军和其余××军人，竟不明大义，不听从徐先生的忠实的劝谏，不肯把四年来辛苦抢到手的东北四省交还中国，而且还进一步觊觎察哈尔，甚至华北，那时徐先生又替中国怎样打算呢？是不是还要“为××开觉悟之路，不存投井下石之心”呢？可惜忠于为人谋的徐先生竟没有想到这一点。

因此记者对于徐先生那篇文章，要补充一些意见。记者以为“敌乎友乎”是非认清不可的。可惜徐先生做了一万多字的长文，却仍旧没有认清主题。中山先生遗教主张中 × 民族携手，记者以为应该是指中 × 民众携手而言。× × 民众——受军阀武力压迫下的 × × 民众——是中国之友，但是 × × 帝国主义，却是中国之敌人（而且也是 × × 民众之敌）。记者相信 × × 民众都明白徐先生所说的一片道理，承认对中国武力侵略的结果，要引起世界大战，使 × × 陷于危亡。可是 × × 军阀却不会相信这些。× × 军阀只有以武力征服中国，才能维持自身的地位，× × 民众的痛苦，民族的利益，× × 军阀本来是不问不闻的。所以徐先生代 × × 打算，虽然非常细密周到，但是劝 × × 帝国主义交还东北，如不是与虎谋皮，至少也是对牛弹琴。反之，要是中国坚决反抗 × × 帝国主义，决不是下井投石，而是真正为 × × 民众谋幸福。所以记者以为要谋真正的中 × 共存共荣，真正的东亚和平，其道在于认清敌与友。质之徐道邻先生又以为如何？

（二十四年二月二日）

# 亲善下的几则不亲善的消息

不管 × 帝国主义者是在那里怎样的散放烟幕弹，以蒙蔽世人的耳目；不管 × 帝国主义者的代言人是在那里怎样的粉饰和平，诡言中 × 亲善，鼓吹中 × 的共存共荣，然而“事实胜雄辩”，有了 × × 帝国主义的存在，便没有我们中国的繁荣，这里，就让我们报告最近中 × 亲善呼声高唱入云的下面几则不亲善的消息：

一、沈阳讯：活动于沈阳县境的义军特务团二十余人，专事刺杀 × 人及汉奸等工作，年前探悉沈阳附属地藤浪町日特产商工藤丰三郎携带大批款项，前赴彰武县购办特产，乃派团员二人，追踪前往，沿途未能得手，迨至彰武县后，始克刺杀。

二、关外讯：吉林桦甸县警备队千余名，于本月六日起义，枪毙该县全部日籍官吏，并组织队伍，向辽宁安图县进击。

三、华联社哈尔滨通讯：日伪军警于一月七日在本部枪毙革命青年四十名，被捕义军居数最多。一部分为在哈秘密活动之义军便衣队，另有一部分为密谋抗 × 倒伪之青年，是日在道里公开场所实行枪毙，希图使华人寒心，但有一青年于就义时，大呼中华民国万岁，伪组织禁止外国记者传递此项消息。

这几则消息，都是最近各报纸公开登出来的，我们不知道或被伪组织和 × 帝国主义禁止传递的义军抗 × 倒伪的悲壮牺牲的消息，真还不知道有多少呢。

读者诸君，当你们读过了上面的几则消息后，应作何感想呢？这在我们至少是认识了下面几点：

第一，揭破了 ×× 帝国主义亲善的假面具，在枪刺的统治压迫之下，断不足以言亲善，这就是说，东北的失地未复，×× 帝国主义未能以平等的精神对待我们中国以前，一切亲善的表示，都是欺骗！

第二，打破了中 × 携手，共存共荣的幻想，只要有一天，东北民众还在异族的统治之下，我们可以说，民族间的仇恨，永远是消泯不了的，而且也是不可能的，

所以义军在东北抗 × 的工作，也就决不能因中 × 表面的携手而停止。

“九·一八”事变的祸首之一土肥原最近却又堂堂的入关了，不但入关，而且要来上海，过去的入关，是偷偷摸摸的，秘密行动的，而这一次土氏并发表公开的谈话说：“中 × 关系，据个人观察，前途已露曙光，双方如能披诚相见，不难恢复‘九·一八’以前之状况。”这里土氏所谓“不难恢复‘九·一八’以前之状况”难道是自动的归还东北给中国吗？否则前途的曙光在那里？“披诚相见”又有什么用？在这亲善烟雾弥漫之下，我们要唤醒国人深切注意中 × 外交界负责人的言论与行动，我们并要求公开的外交，不要让东北志士的血就这样的白流了！

（二十四年二月十六日）

# 中国的民意

日本的《世界知识》三月号上，登着吉冈文六氏的一篇文章，作者在结论中说，他深知中国的百分之八十的民众，为自身的幸福起见，是竭力主张亲 × 的。排 × 运动完全是中国政府所主动。所以，只要中国政府有取缔这运动的决心，就不难一举肃清，而中国政府如有实现中 × 提携的诚意，非首先具此决心不可（大意）。

凡是"中国的民众"请看，这是什么话？

假如中 × 果有成为"友"国的可能，那么不消说得，排 × 运动自然会停止的。中国民族，诚然是最爱和平的民族，决不至蛮横到对于友人也会施以排击，如所谓"以怨报德"的。然而，现在能够决定中 × 的和好的，并不是中国政府的诚意，而须是 × × 的诚意，× × 果能归还一切夺自中国的权利和土地，并保证以后将永远平等待我吗？能，则中国民众，不仅百分之八十，实在百分之百地有愿与提携的诚意。否则所谓提携，是什么提携？无论中国的政府或中国的民众，若非丧心病狂，谁会上此大当。

但是，这种粗浅的道理，我们不必多谈。且谈谈中国“百分之八十的民众”的态度吧。

××诚有许多熟悉中国事情的“支那通”，但是现在这位吉冈文六先生的话，却不知何所据而云然？若说中国的以贩卖×货为生的奸商们，完全主张亲×，那是我们能够相信的。然而，这类奸商虽多，决不会占到中国民众的百分之八十，就是百分之二十之数，也还未到罢！除了这类奸商以外，其余的民众，有谁不主排×，谁又能提出不主排×的理由？历年以来，中国的排×运动，莫不由××的侵略行为所激动，事实具在，不容抹杀。如果排×只是中国政府的主张，不符多数民意，那么为什么从来不见民众对中国政府的排×政策，有所非难呢？倒是最近中×提携之说传出，徐道邻的“敌乎？友乎？”一文发表之后，遂使中国人民，群心惶惶，唯恐政府为××的诡计所卖。谁说中国民众的百分之八十，是凉血到如吉冈文六记者所说的程度了呢？侵略者的这些，不但是造谣，而且是侮辱，还含有威胁中国当局之意，其卑劣阴险，实在无以复加了。

××现在是以经济的援助相利诱，但在过去，我们已受够了他们的所谓“经济援助”的毒害了。现在，在没有看出××的诚意以前，中国的国民，是要借了印度奈都夫人对付英国的话对付××的：

“我们请问英国，英国对于我们，还是用笔来解决呢，抑用剑来解决呢？这选择是英国的自由。他若选了笔之道，则我们将欣然以惟自由是求的大国民的态度与之成立协定。否则，他以剑来，则我们有准备，在必要的场合，我们愿将白骨挂在剑尖。我们不乞救助，也不望同情与金钱。”

有谁怀疑中国的民众的态度么？我们可以请求政府举行民意测验的。

（二十四年三月廿三日）

# 明　耻

张三的狗咬了李四的猫，李四必起而问罪于张三，认为这是一件可耻的事情。甲村的刘五回骂了乙村的王六，乙村必纠合赵七孙八……来与甲村宣战，甚至杀伤几条人命，也因认为这是一件奇耻大辱的事情。可见人是有血性的动物，羞恶之心与生俱来。语曰：知耻近乎勇，耻之为用大矣哉。

但是时代变迁，耻的观点也有不同。譬如前清时代，每人背后拖着一条无用的发辫，无论外人怎样的嘲骂，但那时若是短发光头的先生们，总觉羞答答难以见人。又如缠足风气最盛的地方，十七八岁的女郎容貌无论怎样的秀美，金莲若不小至三寸，便以为耻。听说云南的乡俗，为女择嫁时，先决条件，婿家须有三杆大烟枪。广东的阔大老，最低的财产，必拥有半打以上的小老婆，如家里没有小老婆，就引以为耻。可见“耻”是在各个社会里，都有不同。不合理的社会以不合理为荣，合理的社会方以不合理为耻。

某次，× 人在大连开产业博览会，南满铁路公司照例要赠送中国每个大官一张头等车票，以示优遇。记者虽非大官，以实业家的资格，同在被招徕之列。有某大官，携其十五龄幼子，同车去大连。车出沈阳一站，检票员忽来检票，问某公子年龄几何，某以实对。该铁路规章年逾十四岁者，须购半票。检票员向某索票，某答曰：“这是我的少爷。”检票员用半通不通的中国话玩笑着说：“我要票不要少爷。”某大官深恐检票员不知他老人家的来历，于是由怀中掏出一张三寸多长二寸多宽的大卡片，上书“四等嘉禾章奉天实业厅长某……”，递给检票员。检票员还是笑着说：“这不是票！”此时满车中外客人的视线，全注视在这一幕滑稽剧上。记者实在忍耐不住，因向某大官婉劝：“补一张半票算了吧。”某大官硬气十足，至死不肯，两方争持个不可开交。于是有一位满铁高级职员出面调停，向检票员说：“这是中国大官的脾气，宁肯丢人，不肯丢钱。这张半票由我代补好了。”检票员取得某职员的证明而去。这场风波，总算完了。一张半票，其价不过八圆，但这位老官看来，坐火车买票是可耻的。而坐车揩油，丢国家体面却不算是耻。因此所谓“耻”也者，是随着各人的身份地位而各有不同的。

常见许多名流要人，天天谈话，教训别人应知羞耻。他们以为穷人做偷儿，是可耻的，而卖国分赃却不可耻。妓女接客是可耻的，而达官贵人，暮夜夤缘，却不可耻。在马路旁高喊老爷小姐，向人求乞是可耻的，而在租界里，洋房汽车，娇妻美妾，拿老百姓血汗，任情享用，却不算耻。

这就是因为各人身份不同，时代不同，所以以无耻为有耻，以有耻为无耻。只有大家认清楚了：出卖大众利益的，高官厚禄，以剥削民脂民膏为生的，方是人世间的奇耻大辱。靠自己的血汗，过清苦廉洁的生活的，却是世间唯一知有羞耻的人，这样时代方能有进步。知耻方可以言勇，明耻方可以教战。所以知耻明耻最要紧。

（二十三年二月十七日）

# 最可怕的是什么？

“泰山崩于前而色不变，麋鹿兴于左而目不瞬”，这两句话是形容古人的涵养功深，横逆之来，能力持镇静。其实也未免形容得过分一些，人终究是人，怎能一无畏惧？不过生理的构造悬殊，胆量的大小各异，各人所怕因此就有不同罢了。

就我所知，有的人怕虫，有的人怕鬼，有的人怕呵痒，有的人怕老婆，有的人怕儿子，做官的怕上司，小百姓怕丘八大爷，囚犯怕牢头，洋车夫怕巡捕。中国官场中，听差怕老爷，老爷怕姨太太，姨太太怕听差，这是一种循环怕。老百姓怕官，官怕外国人，外国人又怕老百姓，这又是一种循环怕。可见人是各有其所怕的。

若要问记者怕些什么，我敢说平生有三怕：怕狗，怕匪，怕 ×× 小鬼。不过近年见了世面多，我这怕的观念也随着世局而改变了。

我小的时候最怕狗。因为狗这东西，像 ×× 的军阀一样，不讲情面，不通理性，狂吠乱咬，一味蛮干。所以每赴邻舍，必携钩持棒，戒备森严。且据经验所得，狗来勿慌，狗叫勿动，若一直冲上前去，它必不战而退。若是你对它稍存客气，它就占了你的三省，还要吞并你的热河了。

其次是怕匪。我是生在一个奉吉交界的农村。清末民初，东北受了日俄战事的影响，乡间盗匪如毛；杀人越货的事，日有所闻。于是我丢下怕狗的心理，转而怕匪，认为匪是人间最可怕的东西。其后看过一部《水浒传》，才知道一百零八条好汉个个都是逼上梁山的，匪就是不良政治的副产物，人未有生而为匪的。“九·一八”亡省后，义军蜂起，到处与敌为难，民族精神，全仗这般绿林英雄来表现，可见匪并不是最可怕的。

到了民国四年，我在中学卒业的时候，×× 小鬼利用袁世凯称帝的野心，乘机提出廿一条要求。那时自恨手无十万雄兵，扫荡群虏，眼看着廿一条锁链，就锁在东方一个病夫的头上。于是我便丢下怕狗怕匪的心理，

怕起 ×× 小鬼来了。因思不入虎穴，焉得虎子，民国六年，负笈东渡，研究岛国政情，并考察实业。民十二年归国，一方本所学贡献社会，一方唤醒国人，一致抗争。还记得民国十五年，为日方要求在东北各县增设领馆问题，曾鼓起十万民众，作游行排货运动。当时奉天冈村领事，来约面谈，始则诱以种种权利，不为动摇。继谓：“君非 ×× 留学生乎？君不见贵国大官，皆出身于敝国乎？君知其富贵之来源乎？”当时我就气极。痛斥冈村领事说：“阁下身任领事，代表国家，出此无理言论，殊深骇异。君以官吏为可贵乎？不知人生最低要求即为生命。今敝国受制于贵国，形同猪狗，我这生命，早已置之度外，又要官做什么？”冈村赧颜逊谢而去。当时经过情形，载在东北各报。× 方设领之事便因此搁置。我在那时方明白，只要中国人争气，×× 小鬼也是不足怕的。

但到了“九·一八”变起，国土沦陷，河山变色。返顾国人，仍是纸醉金迷，争权攘利。闽战方了，宁夏师兴，有人再问今后记者还怕怎么？我的答复是：“天不怕，地不怕，最可怕的就是中国人穷打架。”

（二十三年二月廿四日）

# 两个笑话

听说这个年头儿，在报章杂志上，最流行的是幽默文章。可惜记者是个埋头干实业的人，没有名流学者文人墨客那种闲情逸致，所以简直不懂什么幽默和不幽默。只是记者跑过不少地方，见过不少世面，就拿平时见闻所得，讲几个笑话，替读者们劳作之余，解解闷儿罢。

笑话年年有，今年格外多，不过有许多笑话，是不好随口讲出来的。现在我就讲两个没有多大干系的官场笑话罢。

据说从前长江某省，有一位督军，他虽出身行伍，而目尚识丁。某日，来了他的一位老乡，向他讨差使。他应允后就下了一道手谕。这位老乡欢天喜地的说完了“栽培”“赏饭”的一套谢恩的话后，回到旅邸，静候佳音。不料不多时，来了一群纠纠武夫，竟把他捆绑着，捉将官里去。这位老乡愁眉苦脸，大叫其冤。后来经多方奔走探听，才知道是一场误会。原来那位督军大人的手谕“派到副官处”的“派”字误写了个“抓”字，部下才不问皂白，把这位老乡捉到副官处去了。

东北接近日俄，所以日俄的语言，每人都会说几句。譬如日本的“阿力阿豆”（谢谢），“八格牙鲁”（昏蛋），这两句话，差不多尽人皆知。东北某老将军当然聪明也不在人下。一天，× × 总领事宴请中 × 要人，实行亲善。某老将军也被列上宾，席间觥筹交错，宾主言欢，倒也非常热闹。宴毕告辞，照例客人要对主人表示一点谢意。老将军心花怒放，要来一句洋话，可是老态龙钟，又多贪了几杯美酒，竟把“八格牙鲁”误记为“阿力阿豆”。所以临别握手的时候，向每个日本人都是道一句“八格牙鲁”，骂得 × 人目瞪口呆，莫明其妙，对看多时，只得自认晦气。这一事便在东北永成笑柄。

这是两个笑话，但其实也并没有什么可笑。因为在目前，登坛祈雨的主席，算命批字的县长，制造红丸吗啡的委员，到处都有着。我们那位督军，不过因为欠读通了些。我们那位将军不过因为没有学好番话，闹这些笑柄，自然是很平常的。但是当代的名流学者，东西洋的归国留学生，开口谈民主独裁，闭口谈三民五权，却不知道中国的大官，是怎样地幼稚糊涂，连粗浅的常识都没有，怎样能叫他们来担当救国大计。所以我这两个笑话是未始不足以供参考的。

（二十三年三月三日）

# 要面子不要脸

仿佛是南开大学校长张伯苓先生说的话："中国人要面子不要脸。"这句话是万分真确的。

原来面子和脸是完全不同的两件东西。中国旧戏里有一套脸谱，这花花绿绿的脸谱就是"面子"，而真正的脸却反不能辨认清楚了。做戏子的只要上台的时候，脸谱弹得像个样子，至于真正的脸，长得好看不好看，那是不相干的。其实中国人一切都如此：只要保全面子，丢脸却全不在乎。阿Q就是一个代表。所以挨人打不要紧，但在背后却要说一句"儿子打老子"，这样虽丢了脸，面子却是有了。所以要面子不要脸是中国人一般的人生哲学。

就整个中国社会来看，亦无不如此。在大城市里，工商业不景气，破产倒闭的事，层见迭出，但是酒馆舞场还是一样地热闹；在乡村里，贫穷到不堪，肚子发生了问题，但婚丧的仪式，迷信的陋习，依然大事铺张，为的是不肯丢掉面子。

学生们念书，只求得到一张文凭，却不想求一些实学。教师们习染官僚的恶习，夤缘奔走，只求以做大学教授为荣，而贻误子弟却可以不问。这都是中了要面子不要脸的毒。

说工商界罢。年来国货两字是最时髦没有了。但是着实有许多不要脸的商人们，将大批仇货，印上国货商标，到处兜销。财是发了，面子是有了，但是做了卖国的奸商，却满不在乎！

军人总算是中国的天之骄子了。大将军出门，八面威风，黄呢服，黑马靴，白缨帽，金丝眼镜，高车骏马，前呼后应，场面可谓十足矣。然而四省沦陷的时候，从未闻有半个将军阵亡或负伤，死掉的只不过是一群小百姓。

谈到政治，更足痛心。从前历史上所描写的政治不良，不过是如何夤缘，如何奔走而已。今则花样百出，中西兼用。记者在东北时曾见一批政客，来自南方，携名花，扶艳女，或称为妻，或称为妹，或称为亲爱的女儿，专为结识权贵，献媚当局。昼则高尔夫，夜则狐步舞。乌烟瘴气，黑漆一团。待其鬼计既售，官运亨通，简任到手，局长实现，于是一掷千金，挥霍无度。面子大则大矣，脸不知其何有？

还有洋场十里的高等华人们，拍惯了洋大人的马屁，把帝国主义者当作自己祖宗。说中国不亡无天理。这些人在租界里住洋房，坐汽车，“高等”则“高等”矣，但是说到脸，他们实在要向着没有面子的人力车夫们说一声惭愧。

不必再多说了。总之，要面子不要脸这六个字，包括尽了中国人的劣根性：政治的窳败，经济的破产，东北的失陷，边境的沦亡，都是由于要面子不要脸这一种人生哲学的缘故，所以要救中国必先革除这种亡国人生哲学。

（二十三年三月十七日）

# 辟邪说

在最近一二年，我们时常听到一种不负责任的批评，说是“九·一八”以前北平当局为什么不予××以较大的让步，免去了这场飞灾横祸。“九·一八”以后政府又为什么不早同××直接交涉，不然，领土不会损失到这么多，外交也不弄成了僵局。这种屈己厚人，反躬自责的态度，依照中国的旧道德，大可佩服。然而实际这种心理却包含着无限的卑鄙龌龊，只证明了中国某些知识阶级的胆和下流无耻而已。

记者在幼小时，听过一个故事说：一天有一只母羊，遇见一只狼，狼要吃羊，母羊哀求着说：“我有三个小羊送给你吃，请你饶恕我吧。”狼点头答应了。于是这只母羊每天送给狼一只小羊吃。三天吃完以后，狼还是要吃这只母羊。母羊质问着狼说：“你为什么不守信约呢？”狼笑着说：“我对于狼要守信约，对于羊是向来不守信约的。”这只母羊终于被狼吃掉了。

我们拿这个小小的故事可以说明了中×的关系。国人受了奇耻大辱之后，不从反帝反×上着想，不从整顿国防上着想，不从发展产业上着想，不从强健体格上着想，偏要迷恋过去，乞怜敌人，这是何等卑怯可耻的心理。近来还有一些寡廉鲜耻之辈，会说几句“仇”话，认识几个“仇”友，迎合着大多数卑怯无耻的心理，自夸能把中×感情回复过来。这是欺人的谎话。国际间只有强权，毫无公理；只有利害，毫无是非。稍有国际常识的人们，都该十分明了。若说以个人的情感，移转国际的纠纷，其人若非奸慝，必为白痴。

××侵略中国，是从明治维新以来预定的国策。六十年来有时送出甜蜜的糖果，有时拿出苦辣的毒药，或柔，或刚，或急，或缓，虽运用之方法不同，而节节进攻，时时压迫，其侵略之主旨固始终不变。国人认清这点，对日态度只有两途：一是抛弃一切人格国格，奴颜婢膝，老老实实作一个暴力下的亡国奴。一是扫除所有邪念，锻炼身体，奋发精神，作一名光荣的战士。否则一方眷恋个人自由和安适，苟且偷安，一方诅咒时局，诅咒命运，结果同归于尽而已。

“九·一八”以后，国人若有深刻的认识，彻底的觉悟，组织训练，万众一心，国家有了生命，力量能够集中，对×交涉，或直接，或间接，或决裂，或屈服，都不至弄到目前这么糟。但是上自军阀官僚，下至民众，都只知荒嬉，不知振作，养成卑怯畏惧的心理。遇了国难当前，既无事前的准备，复无抗敌的决心，更无应付的方策。弄得手忙脚乱，左支右绌。敌人一步步进逼，我们一步步退让，甚至还有人说风凉话，说是我们退让的太迟太少，所以吃了亏。这种奴隶心理不改变，即使××将东北四省照旧送还中国，中国也还是没有救的啊！

（二十三年八月廿五日）

# 民族精神不死

春光骀荡，熏风醉人，五月节忽然又到眼前了。在近代中国历史中，五月是一个悲壮的月份，尤其是民族觉醒反帝抗争的月份。五一是劳苦大众抬头的纪念日。五三是济南惨杀的祭日。五四表现中国文化的新生。五七、五九是国耻纪念，同时又是民众抗 × 运动开始的纪念日。五卅更是中国民族反帝的一个沉痛悲壮的日子。

现在这悲壮的五月又到来了。今年的五月是怎样的呢？国耻是比以前更加十倍地深切。但是民族斗争的精神，反帝的情绪又在那里呢？记者翻阅报上的新闻，只见帝国主义列强为了争夺中国的市场，而在相互叫骂着。被宰割被处分的中国自身，反默不作声，仿佛事不关己似的。遇到五月节日，照例又是“军警戒备租界防范”。政府忙着办理通车通邮，连目前正在水深火热中的东北人民，都不再关心了。什么济南惨案和“二十一条”，自然更忘得干干净净。反之，要人们却正在放风筝，踢毽子，兴高采烈，名流和慈善家又在大开其时轮金刚法会，愿我佛慈悲，拯救中国，普渡众生！

但是说中国人心已死了吗？民族精神已经消沉了吗？记者不能相信，亦不愿相信。东北义勇军的继续冒死抗争，就是人心不死的证据。据四月二十九日《时事新报》北平电载称，两年来热河义军的最大根据地五家子，三家子，苇家沟一带，遭 × 军狄山桑原等部六千余围攻，大炮飞机，猛烈轰炸，亘三昼夜，义军刘震东，李树桢，李升等部，拼命抗战，结果 × 军死伤千余，五家子被 × 军攻破。× 军因过去古贺联队曾在该区覆没，极加痛恨，每破一村，逢人即杀，无辜村民，死者数百。现仍有义军二三千人，据山地死抗。又据四月二十八日报上转载朝鲜《中央日报》消息，今年一二两月内，反满军及某团体，出现于图们江口及鸭绿江共计一百三十次。日伪军死亡及受伤者二百零九名。又吉林来人谈，下江各县仍有义军十余万人。日伪强迫没收民间枪支，其未遭没收的，均投入义军，因此义军声势益见盛大。吉林义勇军首领李宣峰因被围困，不甘降×，自哈尔滨市内五层楼堕楼自杀，义军各部队闻耗，均缠黑纱志哀，民情愈益悲愤。

这些新闻，都载在各报后幅，很少人注意。但是政府虽然准备对××帝国主义屈服，民众在表面虽然忘却了国耻，可是东北义士，依然负嵎奋斗，不甘心作汉奸亡国奴。他们明知这样的挣扎着抗争是很难战胜×敌的，但仍是奋勇挣扎着。挣扎到最后，宁愿堕楼自杀，决不屈服。这种忠勇的精神真足令一班觍颜事虏的奴才们羞死愧死。谁说中国人心已死了呢？谁说民族精神已消沉了呢？

民族精神是不死的，不过在高压下暂时潜伏罢了。会有一天，冲决樊篱，激成澎湃的怒潮，比五四，五九，五卅更汹涌的怒潮啊！

（二十三年五月五日）

# “九·一八”三周年

“九 · 一八”的三周年又快到了，这就是说，日帝国主义者用武力占领了东北已有了整整三年了。时间是最能折磨人的。“九 · 一八”这一个惨痛的日子，到了现在，时过境迁，恐怕大家已渐渐淡忘了。只是记者原是东北人，与“九 · 一八”可说是有切肤之痛，记者原有家，而今是无家可归之人了；记者原也有省，但而今却是亡省之奴了。回忆“九 · 一八”事变，× 帝国主义者占领沈阳的时候，记者那时还在东北，后来侥幸逃出了虎口，即在关内各省努力宣传抗 ×，冀唤醒全国同胞，一致对外。口头宣传之不足，又继以笔头，到了今年二月间，毅然创办本刊，希望借文字力量，以达到抗 × 救国之目的。国际风云，一天紧迫一天，敌国之飞机大炮，固非区区文字可以抵抗，但依记者数年来之经验，与种种事实给予我们的教训，觉得中国的国事虽然糟糕，很少令人满意，但民族的新生，民族的出路，并不是没有的。

这里所谓出路，不是什么屈服或投降的路，即一般所谓东京的路线，也不是什么国联的路和莫斯科的路。从过去的事实告诉我们，以上的路都是走不通的绝路。走东京的路吗？请看一看这三年来 ×× 帝国主义对于我们中国是怎样的一种态度，威迫利诱，无一事不叫中国吃亏。岂但吃亏，简直要中国人的命，要亡中国的国。经济侵略，文化侵略，武力侵略，三管齐下，到现在华北已朝不保夕，战区是名存实亡。而 ×× 的侵略中国是有计划与步骤的，中国在外交上纵与 ×× 妥协，只落得一时的苟安，但决不能阻止 × 人之得寸进尺。走国联的路吗？再又看看三年来国联所给予中国的帮助是什么？第一，空洞的国联调查团报告书；第二，空洞的不承认伪满的决议案。此外并没有有效的方法制止日人的侵略。这当然怪不得国联，国联原不过是这样供列强利用，有名无实的一个机关，只怪我们的眼光差，自己看错了路，以致误了我们不少抗 × 的前程。另外还有一派人主张走莫斯科的路，不错，这也是一条路，但问问我们自己的力量在那里？我们自己如不打算积极的抗×，却叫别人来怎样帮助我们？所以这些都不是路。我们唯一的出路只有放弃暂时的苟安，牺牲一切的享受，发动自卫的民族革命战争。

我们知道，民族革命的战争是不计成败的，因为不抗争也是亡，抗争尚有解放的希望，从已往史实证明，民族革命最后总是成功的。我们决不能等待五十年，我们也切不要希冀会有什么天兵天将下凡来替中国恢复失地，现在×帝国主义者在那里积极的准备战争，原因自然是为的要吞灭中国，打算为××找出路。然而我们的出路也只有战争，战争，发动自卫的反帝抗敌的民族革命战争！

（二十三年八月十五日）

# 沉痛的纪念

亲爱的读者诸君，当你们手里拿着一本两卷一期的《新生》的时候，你们不是会蛮快的和很高兴的打算揭开第一页从头读起，看看《新生》这期有些什么文字么？然而，我们知道，第一篇“老实话”的题目，就会吸住了你，而且会使你怀疑，是否编者或手民把题目弄错了，《新生》一周年纪念，是该值得庆贺的呀！为什么还要说是“沉痛的纪念”呢？

这里，我应该告诉你，题目是一点排得没有错。说是“沉痛的纪念”，也一点没有说得错。所谓“沉痛的纪念”，是纪念着另一种的“沉痛”！

假如诸君不会健忘的话，今天——一月二十六日——不是三年前的“一·二八”的前夜么？在三年前的今天，× 帝国主义向我们提出了许许多多蛮横无理的条件,《民国日报》馆是依照了 × 帝国主义的意旨而被封了,抗 × 会也奉令解散了,然而这些还没有满足了 × 帝国主义的要求,这样,才迸发了“一 · 二八”的上海战争。“一 · 二八”战争,是中国伟大悲壮的抗 × 战争,是中国民族要求解放,民众反帝的唯一英勇的战争。最后,这一次战争,虽然是中国方面失败了,但此非“战之罪也”,中国民众反帝的巨大力量的表现,是永远的光荣地存在,而使 × 帝国主义者发着抖的。

过去“一 · 二八”的事实与教训,昭示得我们明明白白,只有反帝是我们中华民族的唯一的出路;只有发动民族革命的战争,方能救中国的危亡与图存,帝国主义者并不会因为我们的退让屈服,而就会中止他们侵略的野心的。同时,帝国主义者的势力在我们中国存在一天,便什么也不能干,所谓民族复兴,更是无从谈起!当记者写到这里的时候,已经又看到 × 帝国主义的侵略先锋——关东军发表的荒谬声明了。声明的大意是这样的:本军已至不得已以热河省兵团的主力军及飞行队的一部,进讨“满洲国”丰宁县的宋哲元军,理由是:对中国方面数次要求其撤退,中国方面不守信约。中国军队驻在中国的领土，为什么要撤退？就是中国军队有一天驻在沈阳吧，也是合理的，在这里，我们就可以看出 × 帝国主义者的无理取闹，和怎样暴露着它侵略的野心了。无疑的，察哈尔迟早是要发生 × 帝国主义者的侵略战争了，这原是他们预定的计划，就如同上海“一 · 二八”的战争一样，任是如何的屈服，退让，也还是不可避免掉的。

从“九 · 一八”到“一 · 二八”，直到现在，× 帝国主义者得寸进尺，是在一步的紧逼一步了。“旧恨未消”，“新仇又到”，中国古人的兵法说过：置之死地而后生，置之亡地而后存。我们中国目前可说已是到了“死地”和“亡地”了，今后是不是还能“生”“存”下去呢？记者在这追念着“一 · 二八”抗 × 战的过去，再又看看这苟安的中国现状的时候，真是发生了无限的感慨和觉到异常沉痛的啊！

（二十四年一月廿六日）

# 悼项松茂先生

中国人事事都好作伪。一个祸国殃民的军阀，或是一个兴风作浪的政客，能够寿终正寝，还是死有余辜。偏有些无聊的文人，为他题辞，为他作传。说他南山打过虎，北海赶过狼，连篇累牍的胡吹乱捧一阵。读起来令人头痛肉麻。今晨（四月十六日）接到一份讣闻，我以为又是这么一套把戏，几将丢入纸篓中去。展开一看，才知道是五洲药房总经理项松茂先生于“一·二八”沪战时见义勇为，慷慨赴难的一段纪事。记者读罢，绕室三匝，精神奋发，觉得在此颓唐不堪的民气中，还有这么一位慷慨就义威武不屈的勇士，真是值得我们的崇拜与痛悼的。原文录之于下：

“自‘九·一八’沈阳事变发生，君（指项君）义愤不可遏，日日筹画御侮，于厂中秘密组织义勇军，又加入抵制仇货团体，积极工作。金钱与精神之损失，在所弗计。‘一·二八’上海变作，靶子路五洲药房第二支店为倭寇侵入，掳去十一人，生死不明。君闻耗亲往营救，公司同人劝其勿蹈危地，可另遣他人前往。君慨然曰：‘吾国人民居高位者多贪生怕死，凡危险地令他人向前，自己退后。吾为公司总经理，此关系十一人生命事。讵能不入虎穴以救之耶？’遂冒险深入。第一次得安然返。二次复往，为倭寇所执，见君名刺，拥至海军陆战队司令部，诘以因何组织义勇军，因何抵制×货。盖倭酋早忌君而注意也。君不为屈，侃侃而答，谓：‘我中国人也，但知爱国。尔与吾人同为黄种，应共荣共存，因何强占中国土地，戕害华人生命。似此国仇，愈结愈深，殊非尔国之福。’倭酋愤君言之激切，杀之。”

在这一段文字中，第一我们看出项君是一个救国的志士；第二我们看出项君是一个热诚的仁者；第三我们看出项君是一个有气节有骨格不屈不挠的汉子。国难发生以来，常在报纸上或讣闻上，看到某某青年为国难而自杀某某大老为国难而愤死，国难二字几乎变成一种时髦症，好像有了国难他们才会想死，没有国难他们就永远的长生了。其实他们或为情场失恋，或为好赌伤财，或为群妾吵架，或为醋海生波，各有其取死之道，各有其致死之因。他们的死是千死万死应该死，他们死了国家少一个分利者，社会去一个寄生虫；与国难二字，风马牛不相及。像项君这样的人，创办五洲药房，制造西式药品，为病者谋福利，为国家塞漏卮。平时且节衣缩食，救灾恤难，十年以来，用款几达二十万圆。（均载在项君的传记中。）设无国难发生，项君展其天才，恢宏大业，造福于国家民众者，更不知几许。即有国难发生，诚如其友高君友唐所云："明哲保身，不抗 ×，不拒货，可以不死；不救人，不冒险，可以不死；对倭酋长跽乞怜，肯屈肯辱，可以不死，而项竟以抗 ×，拒货，救人，冒险，不辱，不屈死矣！"是项君之死，为正义而死，为忠勇而死，为国难而死。可惜记者与项君无一面之缘，只能站在民族立场上，为项君放声一哭。并将项君的忠勇事迹，表而出之，为彼屈膝求荣，觍颜事虏者作一对照。且闻项君至性过人，事母至孝，昏定晨省，寒暑无间。本来惟有至性者方能救人；有真诚者乃能爱国。想到这里，记者更不胜其悲愤呜咽了！

（二十三年四月廿八日）

# 悼抗×志士邓铁梅君

一个阴沉沉的早晨（十月一日），记者照例的翻阅每天的新闻报纸，一则很令人注意的消息（也许一般人是不会注意到的）顿时触入记者的眼帘，“义军首领邓铁梅已遇害”，啊，抗 × 志士又弱一个了！

志士邓铁梅原为辽东义军的总司令，拥众数万，积极抗 ×，× 帝国主义视为心腹大患，出重赏收买汉奸，将邓诱捕，这已是六月间的事了。邓氏被捕后，× 人异常的重视，由 × 军千余名将一手无寸铁的邓铁梅押至沈阳陆军监狱，这时 × 帝国主义便又开始其怀柔与麻醉的惯技：第一为生活上的优待。报载：邓入狱后数日未食，× 人送筵席数桌，均置不食，谓“好男儿不食伪国饭”，对伪国官吏则直斥其事仇无耻。第二为利禄上的引诱。× 帝国主义者一手持金钱，一手挟利刃，以为中国人没有不入其彀中的，× 人为要将抗 × 的义勇军一网打尽，便逼邓作书招致所部，并予以收容总司令名义，所谓“收容”，乃收容反 × 的义民义军，可是这一切都给邓拒绝了。邓氏于受 × 伪军官拷问时，且大呼：义军的活动，在遂行中国国民的责任。因为 × 帝国主义者之无所施其鬼蜮的伎俩，这就是说，× 人屡次的劝邓氏投降，而邓氏矢志不屈，× 人既不能利用邓氏以杀中国人，留之无益，据今日的报载：邓氏是已于上月（九月）二十八夜间被 × 人秘密的枪杀了，× 人向外宣布，说邓氏系患急性肺炎死亡的，这自然是骗三岁小孩子的话，是很卑污的一种掩饰。

邓氏的死，当然是我们抗 × 前线一个大损失，记者这儿又想起不久先邓氏殉国而死的李东海等烈士的几句话。李烈士在他的供词里说：我等国亡家破，救国为个人责任，颠覆列车为救国工作之一，倘天假吾命，我等即联络民众，组织民众，恢复失地，并不止于颠覆列车。× 人询以决死队的组织，说：组织自有，但不屑凭借外援，中华民国全体同胞，就是我们后盾。从邓李二氏的话看来，我们知道，邓李等的所以视死如归，前仆后继者，第一，因为他们认为“义军的活动，在遂行中国国民的责任”（邓氏语）与“救国为个人责任”（李氏语）；第二，恃有中华民国的全体同胞为后盾。

记者于邓李等的从容就义，除深致其悲悼与敬意外，在这里即特以此两件事，谨问我全中国的国民，这就是:（一）我们每个人都遂行了中国国民的责任没有？东北是属于我们中国人全体的，到现在东北的存亡，好像是与全中国的人民无关的了，仅只有已经国破家亡的义军，在那里苦干着反帝抗 × 的工作；（二）我们全体的同胞，有没有做前线抗 × 义军的后盾？没有，我们今后应该怎样去援助那些艰难困苦的抗 × 义勇军？

希望国人不要仅以惋惜同情的态度，来悼邓李等一班殉国的志士，我们还当以继续抗 × 的精神，来纪念他。

（二十三年十月六日）

# 贪恋与牺牲

昨天有友人从东北来，说起东北最近的情形，使人不胜痛心。

原来 ×× 帝国主义因最近国际风云一天天紧急起来，蹂躏东北同胞的手段，也越来越毒辣了。今年春初，×× 在长春设立了一个协和会，由 ×× 人任总裁，在长春设总会，东北各省各县设立分会支会，专为收容中国知识分子，给 ×× 做走狗。养狗经费每年在三百万圆以上。总会内设六处，处长是“伪国”人，徒有其名，实权则操于 × 籍的副处长之手。果然这一个诡计，大大成功了。许多所谓中国的知识分子，拼命投到协和会里，想做个狗官。有很多人从福建，浙江，江苏，安徽等内地赶来伪都求差的。可见写文章，喊口号，空谈救国是一回事，而暮夜钻营，卖国求荣，又是另一回事，全是我们高贵的知识分子玩的把戏。

××帝国主义这些诡计得了手，于是就开始收枪支，缴地契，剥夺东北人民最后留着的一些武装和耕地。一面征召国内退伍军人，实行武装移民，先从吉黑两省边县做起。时依兰县土龙山地方有一乡团领袖名谢文东者，感于压迫之深，激于亡国之痛，因倡言于众曰：“×人占我河山，辱我妻孥，更将吾人所生息依托之一点土地而尽夺之，中华民族岂尽奴性而不思有以抵御之乎？”于是更将其妻子杀死，以示决心。村人为之激动者数千。×军饭冢大佐率×军五十四人并伪师长于险舟，伪参谋长宋先烈，到村中去威吓谢君。谁知伏兵四起，乘机将该大佐及同来×军完全击毙，伪师长逃逸，伪参谋长负伤。日军震怒，复派广濑师团带同飞机大炮，不分皂白，逢人便杀。土龙山各村，遭其害者数至八千人。然谢文东仍出没山林，始终抵抗。×人移民之策因以中辍。这一段轰轰烈烈可歌可泣的历史，竟出于一个荒僻山村的乡团领袖。

记者回忆“九·一八事变”之初，曾劝同志入关，同作救国工作。多数海外归来的留学生，平日亦常呼救国口号，至此竟谓入关后衣食无保障，恐救国不成，身先饿死，不愿丢弃他们月入数百圆的甜美生活。记者入关后，又常见国内知识分子踊跃出关，投奔权贵。此辈自命为社会领袖的知识分子对着东北山村中的无名英雄，真该活活愧死。

不但如是，自东北被占三年以来，中 × 两国势不两立，非抗 × 不能图存，已成妇孺皆知的真理。但是天天说抗 ×，却只闻扶梯响，不见人下楼。反而领土日益削弱；国难日益深重。这是为什么呢？无非是居高官享厚禄的，贪恋着高官厚禄，享受纸醉金迷的洋场欢乐，有地位的贪恋地位，有资产的贪恋资产，有家室的贪恋家室。谁都贪恋着眼前的一切，不肯为民族国家，拔一根毫毛。这样还能说到真正的抗 ×，真正的救国吗？像谢文东先生那种杀妻子以表示抗 × 决心的伟大的牺牲精神，足以惊天地而泣鬼神。和那些腼颜事虏的大官为虎作伥的汉贼，真不可同日语了。

（二十三年九月八日）

# 西北的三光

自从东北四省被 ×× 帝国主义强占后，开发西北的呼声，高唱入云；爱国志士，政府大员，军界野心者，车尘马迹，朝来夕往，不断的向西北这荒漠打算，大有失之东隅，收之桑榆之意。就中稍切实际者，要算中委朱霁青氏的移民实边政策了。

朱氏自抗 × 失败后，壮志未酬，决心于救济东北难民事务，四中全会时，向中央请款五万圆，专作西北屯垦之计；于是延聘专门人才，画图表，草章则，实事求是，应有尽有。上月初携其完美计划，大队人马，出发五原包头一带，亲自调查，以备实施。孰料一至其地，则荒烟蔓草，满目疮痍。即此荒凉不毛之地，而苛捐杂税仍层出不穷，久居者行且逃避，未来者何以谋生！北方居民，室内皆备有火炕，炕上敷有炕席，虽贫困之家，亦为必备之具，今该地居民，竟炕席而无之，此所谓一光也；锅灶虽设，食粮已无，居民多恃借贷生活，此所谓二光也；每人除一身破烂不堪的衣服外，春尽夏来，几无遮体之物，此所谓三光也。东北难民多为义军的眷属，平时暖衣足食，皆享中人以上之生活，非饥寒交迫者可比，如此情形，其何以堪！恐将宁为沿门求乞的叫化子，而不愿入此十八层地狱；朱氏的移民政策，至此遂成问题。

西北自连年兵灾荒旱，地利已无所出，而城市的分食者，洋房汽车，又日趋摩登化。一般散处乡间的奴隶牛马们，纯恃他们伏义式的耕田办法，所得一石谷或五斗粮，维持他们最低的非人生活，已属困难万状，何来布帛米粟，以奉事其所谓民上者！于是罂花满地，鸦片流行，乡民只知实行他们的新经济政策，那顾得害国殃民：聪明的官吏们，算盘打得更准，怎肯让过机会，所谓水涨船高，吃亏的还是老百姓。处在这个万劫不复的境地，只有逃之夭夭，关门大吉；地契贴在墙上，动产装在筐里，丐食于四方者，不知凡几！

因此某君调查后，关于开发西北，发表两种意见：

一，恢复上古时代的部落政治，拳大力粗者起而作酋长，取消一切苛捐杂税，农民仅以每年所得一部分供给酋长食用；二，采用最新式的生产办法，举凡苏联美利坚之大量生产工具，整个建设起来。否则以黄包车夫的收入，供纨袴子弟的消耗，焉得不同归于尽，日趋灭亡！

某君的主张，虽近滑稽，确亦实情，岂特西北如是，整个的中国又何莫不然！每年入超已达七八万万圆之巨，试问中国还有多少个七八万万圆呢？国人动辄曰救济农村，开发实业，而不知农村怎样救济，实业怎样开发。从前有个晋惠帝，劝灾民“何不食肉糜”。今日洋博士们，不曰美国的马路宽，就是英国的洋楼大；对于土窑草棚的居民情形，毫无所知，还不是晋惠帝的门徒吗？

（二十三年五月廿六日）

# 从天堂到地狱

离开了光华灿烂的东南，来到了寂寞荒凉的西北，仿佛是把一个过惯了二十世纪生活的人，又送回到十八世纪中去的样子。这里住的房屋，这里走的道路，这里用的饮食器物，多少都带着几分古气。像上海那样洋气十足的大光明影戏院，百乐门跳舞场，这里是做梦也想不到的。车行至豫陕交界的时候，路旁住宅是窑洞式的。居民出入其间，远视如蚁。我们虽然没看见过古人的茹毛饮血，然而穴居野处的情形，至今还依然摆在目前。这与上海四行储蓄会所建筑的二十四层大楼比一比，相差何止天堂地狱。

西安为西北重镇，建都至二千余年。不但是个古国，而且是个鸦片国。居民约十二万人。据说吸食鸦片的，占五分之一以上。陕西全省出产烟土的地方，占五分之二。自从邵主席莅陕后，正在用科学方法禁止着呢。市内烟馆之多，不亚于川鄂云贵。普通人家都以此为待客的上品。最可笑的，西安的叫化子，都带着几分烟瘾。夜静人稀的时候，每过僻静的街衢或大族的门口，常见一群叫化子，人手一枪，青烟直上，度他们极乐国的生活。西安的烟化之深于此可见一斑了。

全陕大学教育等于零，中学教育也是凤毛麟角。小学毕业的学生，在乡间就可当一名绅士。迷信鬼神，比任何地方都甚。

此地近山多狼。盛夏炎热，人多睡在院中。夜深人静的时候，这些乘凉消暑的先生们，常常作了山狼的佳馔。然而人们只怨命苦，不想抵抗，据说狼有狼神，被狼吃掉的都是得罪了狼神，是命里注定的。有人若说出一个“狼”字，那是何等重大的事态。试想狼都能把他们威吓到这种地步，若是 ×× 人来了，不用说那更是无条件的降服了，可怜中国的老百姓！

陕西这二年，总算是丰收了。所以西安市上还有一点生气。据闻民国十八九年的时候，连年旱荒灾民遍野。人吃人的惨剧，到处排演。友人李维城君（现任陕西省银行的经理）云，民国十九年的时候，四乡灾民来省就食者约有四五万众，日难一饱，只有出卖人口之一途。青年妇女一岁一圆，但以年满廿岁为度，过此者每增一岁减价一圆。有一对青年夫妇，当女人出卖后，和男人别离的时候，号啕痛哭，目不忍睹。女人临行犹将铜制的手镯和耳环摘下，送给男人，希望他多延几日的寿命，这一幕惨剧就此终了。又有一青年妇女，携一个两岁的幼儿，由中人说妥，卖与某商家的店员为妻。但出卖的时候，店员不知尚有幼儿，事成后，店员忽反复不要。该妇无奈，将幼儿捻死，扔在土井中。店员仍不要，该妇遂亦投入土井中自杀。这一幕惨剧，又是这样的终结了。这都是李君所亲眼看见的。其实类似这种的惨剧不知有几千几万。有人疑问，四五万灾民，死神当前，何以不暴动不夺食呢？我说这就是迷信之力。他们认定就是这样的惨死，也是前生注定的。人家住洋房坐汽车，都是前生修来的福。可怜中国的老百姓！

（二十三年八月四日）

# 从地狱里又走到天堂

“江湖作客，到处为家”，这是惯走江湖的两句话，记者虽非走江湖的，但自从亡省破家之后，颇存以天下为家的幻想。可是我们这个国家委实是太大了，有的地方是等于天堂；有的地方简直是人间的地狱。就以记者这短时期的旅途而论，已可证明其一二了。

西北的穷困，记者虽在本刊里略为谈到一点，那不过是看看城市的情形，尚没有说到乡间的景况。衣，食，住，行是人生的四大问题，来到西北的乡下看看，却都不成其为问题了。衣是预备遮体的，除了年长的成人，穿着一身破烂不堪的衣裤外，年青的男女们多半过着裸体生活，十七八岁的大姑娘没有裤子穿，在这里并不算一件新奇的事；食是预备充饥的，大菜西餐，根本就没有，燕窝鱼翅，生来未谋一面，普通的食品多半是一圆钱可以买到八百斤的芋薯，不吃树根草皮已算是幸福无量了；住是天然的古洞，玻璃根本找不到销场，电扇暖炉，更无用武之地，好在日出而作，日入而息，也就用不着煤气灯和电灯了；行是娘胎里带来的两条腿，牛车马车，都享受不起，火车汽车轮船飞机更是梦想不到了。一年的生计，全靠老天的一顿雨，所以信天的力量，比任何主义运动都来得大。他们是这样不识不知地过着人间地狱的生活！

不久，从地狱般的陕西，我又来到了天堂般的青岛。好像一只飞鸟，从戈壁沙漠中又飞到了万木耸天的森林来。这里有琼楼玉宇的别庄，有香气四溢的花草，有富丽堂皇的游园，有气爽风清的浴场。若把一个西北乡下的土老儿送到这里来，一定要惊疑这是天上，绝不相信还是人间，在这地方的公子哥儿小姐太太们，一定都是前生修来的好命，应该享受这些安乐的！记者有一天在海边上闲走，遇着一位高等华人，先用洋话向我打招呼，我摇头示以不懂；又用洋话的腔调向我说中国话，这真是十足奴性的表现。明明遇见中国人，明明会说中国话，为什么必得说洋话呢？洋话说不通，又为什么必得用洋腔说中国话呢？仿佛若不带点洋气出来，不足以表现他的高贵身份似的。记者因而想起一个故事来。在中学读书的时候，有一位同学常常夸耀他家里的富有，好像他家有几座金山似的。一天他老父亲从乡间到学校来，这位老者布衣布鞋，乡气十足，有人问这位老者是谁，他恐怕老父亲丢了他的体面，便说这是他家里的老更夫。这位同学以承认一个布衣布鞋的乡下老做父亲为可羞（实在可羞的还是这位同学自己），正和我所遇见的这位高等华人以承认做中国人或说中国话为可羞的是同一的卑下心理。

像这种人们连自己的爸爸都不肯认，还能爱他的祖国吗？连自己的国语都不肯说，还能爱他的民族吗？然而这也自不能深怪，因为高等华人过的多半是天堂的生活，语云：“居移气，养移体。”他们生活于优美的环境里，那里会知道和看见大众的痛苦，又那里会感觉到中国当前有国亡家破的危机呢！所以记者认为就是单从这些生活方式的不同看来，就也可以知道将来解放中华民族，挽救中国危亡的任务，是应该负在一些什么人的身上的了！

（二十三年八月十八日）

# 日暮途穷的景德镇

××人在国联会议席上公然骂中国是个无组织的国家，我们听到这句话，气愤愤的总有点不服。其实掉过头来看一看，那一件事情算是有组织呢？有人说上海的绑匪有组织，有钱大家用；长江轮船的茶房有组织，有饭大家吃；江南人在外省作官有组织，有官大家作；除了这些为匪作歹或营私肥己的朋友们还算有点组织外，在一个政府的机关里或一桩社会的事业上，那一处是有完备组织的呢？

记者是一个学瓷的，这次受了江西当局的重托，要来景德镇参观参观瓷业的情形。在未来之前，以为几千年全世界出瓷的大本营，总有它的特点，等到参观了以后，真是糟乎其糕，大失所望！

中国人是一向靠天吃饭，事情怎样好的，以后又怎样糟的，惟有天知道。据说：景德镇在极盛的时代，窑户有四千余户，工人二十万人，驻镇的庄客和当地的商家，三天一小筵，五天一大筵，（中国人就是会吃。）糊里糊涂弄到现在窑户只有千余户，工人不到三万人，驻镇的庄客赶奔神户大阪，都作鸟兽散了。听说去岁有几个 ×× 的矮弟弟来此参观，到商会里问：每年出多少瓷器？答以不知；问全镇有多少工人？答以不知；问瓷器销到某地最多，某地最少？还是答以不知。这位矮弟弟大发其脾气，问到你们这群人在商会里干些什么事，连这一点统计都没有。商会的朋友们还是目瞪口呆而不知。幸而这个景德镇离开东京湾还有好远的距离，否则矮弟弟又要越俎代庖了。

景德镇的瓷业，完全系分工制，大别之，有做坯的（坯之中分琢器圆器），有做匣钵的（烧瓷的外套），有烧窑的，有绘图而烤花的。分工本不算一件坏事，但是分工贵乎合作，而景德镇工人基于中国人自私的观念，徒知有己，而不知有人，加以知识简单，囿于成例，迷信行规，一切行动，皆惟师父之命是听，罢工斗殴之事，时有所闻。若想作一点改革的工作，实在比登天还难。

江西有几位同学原也有志改革一下，奈机会不巧，兵匪为灾，竟至半途中止，越发给迷信祖师爷的工人们作一个口头禅。

近自东北丢失，世界经济恐慌的狂潮又卷入中国，景德镇的命运日促一日，工人流而为匪的约占十之二三。自表面上观之，景德镇的衰落好像由于工人的顽固，商人的自私。其实根本的原因，还是政治污浊，官府过事放任所致，景德镇以一班无知的工人，同一班无知的窑户，合拢在一起作这件世界驰名的工业，怎能不日起纠纷呢？政府既不能设官专理其业，县长局长老爷复利用劳资纠纷，吸吮他们的精血，所以工人窑户，只有采用惯例，或诉之武力，以自了其纠纷。然而纠纷愈繁，恶例愈多，听说工人们某月吃韭菜，某日吃豆芽，都视为大经大典的成文法。其纠纷顽固的情形，可想而知了，这是工人的罪恶呢，还是政治的罪恶呢？

（二十三年九月廿九日）

# 大人要做小事

开头先说什么叫“大人”，什么叫“小事”。

有人说：大人者，身材高大之人也。譬如去年全国运动会里，有一位邵金禄先生，身长八尺，那总算是一个大人了。但我所要说的大人并不指此。

有人说：大人者享大寿之人也。小孩子称年纪大的人叫大人。人生四十曰小寿；六十曰中寿；八十曰上寿。譬如马相伯老先生今年九十有五；又如广州的耆老大会，有一百零三岁的老太太，这都是大人，但不是我所要说的大人。

更有人说：大人者，大德之人也。譬如朱庆澜先生，奔走国事数十载，不避嫌怨，不辞辛劳，反而因公招忌，积劳成疾。这也算是大人了，但也不是我所要说的大人。我所要说的大人，有的是“体健如牛”，有的是弱不禁风，有的是年逾花甲，有的是乳臭未干，有的是党国硕望，有的是社会蟊贼，总之在报纸上天天见他的大名，京沪道上时常有他的行踪，那些阔人伟人就是了。

小事这两个字，也很难有一个定义。譬如一个洋车夫，只盼能拉到一个外国水兵多赚几个钱，这就算一件大事。又如一个渔翁，只要能捞上一条大鲤鱼，多换一升白米，也算一件大事。其他国计民生，于他们毫不相干。摩登小姐们要是少看一回好电影，便懊丧非凡，至于黄河的大水，陕西的旱灾，都不在她们念中。这样说来，大事小事也是随着各人的看法而有不同。至于我所要说的小事，却是指不在阔人伟人眼中的一切事而言。

闲话少说，我觉得中国人总是小人爱干大事。一个乳臭未干的孩童，起码要当县长，县长没当完，还要干主席，主席没做好，还要试试部长。反正一官在手吃着不尽。拼着命儿往上钻。到处办着大学，学生出来便想做官。天下聪明才智之士都跑到做官的路上，弄得满坑满谷，人浮于事。因而党同伐异，入主出奴，翻云覆雨，兴风作浪。结果还不是都为了一个饭碗问题？难道除了做官就没饭吃吗？不，饭多着呢，黄金满地，不过大人先生不屑注意罢了。

近来报载戴院长传贤宋委员长子文，要开发西北去，并定于四月初动身。这真是最近一件值得我们注意的事了。西北地广人稀，物产丰饶，仅新疆一省，十四倍于江苏，两倍半于东三省。而且气候温和，地势平坦，只因交通不便，富藏未开，国人再不设法经营，洋大人又要替我们偏劳了。戴宋二氏，过去革命历史，服官政绩，都值得小百姓敬佩。但一则打坐首都，称佛门之弟子；一则寄寓沪滨，效走马之王孙。今乃敝屣尊荣，出使边陲，万里跋涉，不避艰险。将见甘露时降，戴菩萨之功德无量；生财有道，宋财神之宿愿得偿，岂特西北几十万民众馨香祷祝。即以大人而干小事，也是难能可贵的。记者安敢不向戴宋两专使行一个欢送礼呢。

（二十三年三月卅一日）

# 一个被人目为奇怪的乡学

中国社会真是一个极端矛盾的社会，明知道鸦片是有害于民族国家的，可是一面在禁烟，一面却又在鸦片公卖；在别的国家，飞机是用来便利交通，载运邮件的，但从报上看见，我国的飞机，却有一部分用了去载运特货。提倡国货热心爱国的商家，却往往是私贩日货的奸商。从前喊着打倒帝国主义的革命家，现在却在干着献媚帝国主义的把戏。满口仁义道德的人们，暗下里却尽干着寡廉鲜耻的勾当。因此有许多人对于国事，表示绝对失望，以为一定没有办法。但是记者却另是一种看法。记者以为现在在台上的，虽然很多腐化昏庸，可是在台下面的，很有些无名英雄，在那里埋头苦干，中国前途的希望，就在这些人身上。以下就是记者最近遇到的一个实例。

记者最近蒙友人介绍，参观了一个奇怪的乡学，在记者本人，对于这个乡学的办法，钦佩得五体投地，认为很合理；可是一般人则大不以为然，都目这位乡学的某君为怪人。其实某君真可算是一个埋头工作的志士，记者现将参观的情形表而出之，以供留心教育的人们作一个参考。

某君原从事于政治工作多年，看到中国一团黑漆的政治，多由于教育不良，于是邀了几个同志，退而作讲学的工作，地点在一个乡村的山上，招收学生，前后近八十名，有大有小，有男有女，上午读书，下午作工；课程有四书五经，有英文数学，有手工烹饪，有物理化学，卒业无定年，教室无定处，见天谈天，遇地说地，一切的管理自治，皆由学生自办，教师不过从旁处于指导之地位；学生犯过，有时罚跪，有时打板，都由学生自己规定，由教师执行。其中最可注意的，为教师一切起居饮食与学生一般无二，并且教师对学生之殷勤恳切，有逾于家人父子，所以在别处往往不能教育的坏孩子，来到这个学校，不出二年，一定变成一个极好的孩子。校中男生取柴担米；女生洗衣烹饪，兼作纺织工作，某君所着之衣履，全系由该校学生自己做的，每天的工作很多，饮食也简陋，因为学校不收学费，所以教师都是尽义务的多，据说为了经济不充裕，校中常有断炊的危险，而某君绝不以为苦，反说这样足以锻炼学生刻苦的精神。

记者是一个学工业的，不敢高谈教育原理，但某君所谈的两点，颇堪注意：第一，置教育于生活之中，生活就是教育，教育也就是生活，免得读书人有四肢不勤，五谷不分的毛病；第二，训练学生极端的耐苦，然后可当大事，这也就是孟子所说的“苦其心志，劳其筋骨，饿其体肤”的意思。现在中国的知识分子，平素多半留恋于都市，过惯了都市的生活，所以一旦失业，便嚷着没有办法，其实何尝没有办法，中国的穷乡僻壤，需要知识分子去开发的很多，问题就在能苦干不能苦干。像这位办乡学的某君那样，记者认为是目前中国过渡时代去干社教工作的一个良好模范。

（二十三年九月廿二日）

# 叶木华与藏本英明

五月二十四日，中国留 × 学生叶木华君，在长崎市路过日华商业学校街前时，被该校学生渡边龙雄蹴球打中叶身，发生争执，渡边竟出短刀刺叶胸部致死。后来经我方领馆一再交涉，仅以长崎县长名义道歉了事。不到兼旬，× × 驻京副领事藏本英明忽以失踪闻。于是 × 方电通社诬我有意谋杀，× 舰数艘驶京示威，驻京 × 侨开大会议决，如藏本无着落，则以全体退出南京相要胁。我方则朝野震骇，手足无措，军警四出，大索数日。结果才知道这位藏本先生吃饱饭没事干，竟在紫金山捉迷藏。拿这眼前的两件事对比一下，记者因想叶君何不幸而投胎到中国来，更何不幸而留学到 × × 去。光天化日之下，被人惨杀其代价不过长崎县一纸空文，赠以“遗憾”二字。另一方面藏本又何幸而投胎为

× × 人，更何幸而服官在中国，一时心血来潮，遨游市外，竟忙坏了几十万的军警，惊扰了几百万的居民。好在紫金山的狼虎有眼，未敢照顾这位尊客，一场风波，总算平安过去。否则尸身无着，事态扩大，说不定牵动了欧亚全局，重演世界大战。古人说："死，有重于泰山，有轻于鸿毛。"平时我不知这二语作何解，现在就叶君和藏本两事，才得到实证了。

有人说，叶君不过是一个学生，藏本是一位外交官，两人的身份地位不同，何可相提并论。但是假定叶君是一个 × × 人，在上海给中国人打死，你想这事情会闹成怎样呢？那 × × 政府就非立即添派几只军舰，到中国各海口示威不可。这事情就马上化为重大的国际事件。反之如藏本是在 × × 的中国副领事，那么即使有了失踪的事情，中国断不能把责任诿卸到 × × 头上。× × 警察即使帮同搜寻，也只是道义的关系，断不能小题大做。而且事后也许 × × 要向中国政府问罪，说是不应该派一个疯疯癫癫的外交官来 × × 呢。

现在这两件事总算了结了。叶木华算是白白送掉一条命。藏本算是给中国军警找到，现在回 × × 去了。

但单从这两件事，我们可以看出中国是处在一个什么地位。本来政府是保护本国人民的，但是中国政府却是以保护外国人为其主要任务。叶木华事件，不必说，就是最近几年中，在上海，天津，多少中国人遭 ×× 有组织的绑架杀害（上海五洲药房经理项松茂君的遇难，即是一例），我们不曾见到中国政府向 ×× 有什么要求。中国的外交官蔡公时，被 ×× 军队杀死，后来到底有什么结果呢？也和叶木华一样地白死罢了。但是因了藏本事件，却把南京文武官吏，一个个闹得手忙脚乱，仿佛大祸临头一般。自然，我们是弱国人民，活该倒霉。但是从前清直到现在的媚外惧外的心理，难道竟不能改变一点吗？

（二十三年六月廿三日）

# 大变活人

新加坡《星洲日报》经理林蔼民君，日前因事来沪，记者访于逆旅，谈及南洋侨胞近况，令人不胜悲愤。南洋各属本是一片荒岛，鲜有人迹。闽粤同胞，为生计所迫，背井离乡，只身异地，披草莱，斩荆棘，胼手胝足，把一片荒凉的穷岛，一变而为锦绣的河山。按理南洋群岛应该是中国统治的领土。可是我们这个老朽病夫，连自己原有的家产，还要拱手让人，那里有工夫管这许多闲事呢？帝国主义者只用了几只军舰作护符，便可以畅所欲为，支配一切了。

最近因世界经济恐慌，橡胶工业一落千丈。不景气的呼声，弥漫了南洋各岛。可怜靠劳力谋生活的侨胞们，除出卖他们一具肢体外，更有何法生活？然而工少人多，到处碰壁。帝国主义者又绝不允许这些衣食无着的中国人，流落境内，就像捉猪似的，一批一批送回祖国来。祖国呢？每次的革命，每次的抗 × 运动，每次的水旱灾荒，都借着机会，把华侨血汗金钱一五一十的收到荷包里。待到侨胞受异族的虐待，感失业的痛苦，在朝的大人先生们却不屑注意。纵然是侨胞们万里奔波，泣告国人，结果政府用什么方法对付？还不只是开几次空洞的会议，作些等因奉此的公文而已。

但是有一件事，却值得欣喜的，南洋侨胞，虽然身处异族压迫之下，究竟还是不忘祖国。他们历次把汗血金钱，捐输国内，帮助革命事业，为的是想做一个堂堂中华民国国民，不甘心作亡国奴。反之，我们看看东北四省和台湾的人民，不也是我们的同胞吗？但是他们能不能公开地承认是中华民国国民呢？不能。他们能不能捐款帮助中国革命呢？不能。

不但如此，在东北和台湾的同胞，除了受武力的经济的压迫外，还天天受着 ×× 统治者的奴化教育□□[1]国宣传，换句话说，就是大变活人的把戏。积久以后，民族性丧失无余，便变成了百分之百的亡国奴隶。台湾已是

[1] 原书此处缺漏。——编者注

如此，东北和华北，也不过是时间问题。记得在东北的时候，某次中日宴会席上，记者遇到一个姓陶的，服装华丽，奴气十足。据说这人系南满公学堂毕业，历任日本人的侍役，巡捕，检票员等，因勾通 ×× 浪人私贩军火，赚下了十几万，居然成了显贵。那次席上，当着 ×× 主子面前，大拍其马，称赞 ×× 治绩怎样地优良出色，痛骂中国怎样地不长进。记者在当时看不惯，和他争执了几句，这陶某却依然毫不觉悟。到现在想想，记者却不怪陶某，因为 ×× 帝国主义大变活人的戏法，实在厉害，在他们半殖民地的殖民地内，用了软的糖，硬的鞭子，威吓利诱我们这些同胞。意志薄弱些的自然一个个变成驯服的奴隶。陶某也不过是无数牺牲者的一个。现在在东北，这大变活人的戏法，正玩的非常起劲。像陶某这样的人，一天多一天。我们的大人先生，尽管口头痛骂东北人奴隶性，请问不变成奴隶性，又叫东北人怎样？

想到这里，记者不禁不寒而栗。在南洋的侨胞虽然受尽弱小民族的痛苦，却还不至于变成驯服的奴隶，比之于过去的台湾人民，目前的东北人民，究竟差胜一筹哩。

（二十三年四月廿一日）

# 哀华侨

中国人在世界各国，到处是被人凌辱和轻视的。中国人到处遭歧视，虐待，驱逐，屠杀，中国人的命运，和犹太人一样。可是中国人和犹太人到底有点不同呀，犹太人没有祖国，没有保护他们的政府，而中国人却还有一个祖国，还有一个政府。两相比较，中国人自然该比犹太人幸福些，但是事实不是这样，中国侨民受各国的苛待，实际上比亡了国的犹太人还要厉害些。世界各国单单为了限制我们华侨而订的苛律，就有一百十七种之多，中国人也是人，没有三头六臂，在种种的歧视和虐待之下忍受不住，于是只好一批批被迫的回返祖国了。

提到各国虐待中国人的事实，真是书不胜书，只要我们是留心看报纸的，那一天没有我们侨胞在海外受压迫的记载。过去的事实是太多了，如墨西哥，古巴，暹罗，朝鲜，南洋，菲律滨都曾经发生过剧烈的排华运动，不止一次，也许国人早已忘怀，现在我们且来举一件最近的事实吧。

这事实的发生就在高唱着共存共荣的我们的东邻。到目前为止，我们从报纸上所得来的消息，旅 × 被驱逐的侨胞已经是第八批的返国了。将来当然还有第九批第十批以至于把我们旅 × 的侨胞驱逐净尽为止。驱逐时的残酷情形是令人发指的。第七批回国难侨请求当局救济的呈文里说，他们“向在日本东京南千住町名古屋等处，开设商店及为糖工煤工，垂十余年，循规蹈矩，毫无不法行为，讵料 × 人竟于九月间突来警察多名，迫令归国。向其哀请准予收回账目，变卖器具以作川资，该警置若罔闻。稍延时刻，彼即拳脚交加，甚至木棍枪柄任意殴击，……直不以人类相待”。读过了这篇哀诉的呈文，任何人也会发指眦裂吧，但同时我们的政府对于外侨，却要费了最大的力量，严密保护。几个月前，不是为了藏本事件，就闹的天翻地覆吗？

分析华侨在国外到处碰壁的主因，自然是为了经济利益的冲突。自一九二九年资本主义国家发生了经济恐荒以来，整千万人没有了工作，也就没有了饭吃。各国要救济他们失业的人民，减轻经济的恐怖，抢去我们华侨的饭碗，本是必然的事。固然，解决饭碗的方法不是这样简单，德国排斥了犹太人，德国的民众，仍然很多的没有饭吃。同样，那排斥着中国人的国家，即如现在的 ××，国内人民的经济痛苦，并不因为驱逐了数千数万华侨而获解除，因为剥削 ×× 大众的，本不是华侨，而是 ×× 国内的军阀财阀啊。但是我们总算也有个国家，有一个政府，我们更有公使，领事。难道已归国的侨胞就不该设法予以救济；未归国的侨胞就不该设法予以保护吗？唉，可怜进退失据的侨胞！

（二十三年十月二十日）

# 为《闲话扬州》纠纷进一言

记者原是个老实人，所以只会说“老实话”。上海中华书局出版江苏教育厅编审科主任易君左所著的《闲话扬州》一书，据说因内容有侮辱扬州人之处甚多，如说扬州女人多为娼妓，扬州的男子多做汉奸（此系报上所载，记者并未曾拜读该书）等等，致引起扬属人士的公愤，特组织了个“查究《闲话扬州》书籍委员会”向中华书局及易君左提出交涉，这件事已经闹了有不少的时候了。虽然有第三者在那里进行疏解，听说还没有什么结果，在记者此文与读者相见时，也许这纠纷已经消释，平静无事；或者是风潮扩大，都未可知。易君左与扬州人士虽各省籍不同，然究同属中国人，同属于中华民族，记者特以同胞的资格，愿为此事件来说几句老实话。

该书作者易君左写该书的时候，有许多文句不妥当，致引起误会，记者虽未敢断其有心，然行文疏忽之责自是不能不负的；在另一方面说，如果根据报上所载的侮辱扬州人士最大之处为娼妓与汉奸两点，也是观察不透澈。就社会的眼光来看，无论为娼妓与汉奸，都有它的客观的原因存在着。一个人决不是生而为娼妓与汉奸的，女子卖淫是现社会制度下唯一不可避免的罪恶，中国女子受教育的机会很少，产业不发达，找工做又困难，饭是要吃的，所以许多从农村逐出来的女子，除了极少数能得到工作外，那么，除了卖淫还有什么方法生活下去呢？这不但扬州的女子是这样，全中国其他各处的女子也都是这样。再进一步说吧，做娼妓决不是中国女子带来的劣根性，即号称文明的国家如英国美国法国以及日意等国那一国又没有娼妓呢？至于说到汉奸，那也当然不只限于江北人或扬州人，最大的汉奸郑孝胥在伪“满洲国”做着官儿，他是福建人；在不久以前，首都南京还发生了一件可悲可笑的事，就是一个学生因为找不到事，觉到没有出路，一时气愤，便跑到 ×× 领事署去，自己竟要求做汉奸；此外还有许多做汉奸的都

是被 ×× 威迫利诱了去，不管有意无意，做汉奸固是不该原谅的，但这不限定是江北人，换句话说，都是中国人，只要有做汉奸的，都是我们中华民族与中国人的耻辱。

《闲话扬州》的作者因为观察不正确，致动了扬属人士的公愤，自是不幸，然而记者也希望扬属同胞不要把此事件再扩大。我们要认清楚，易君左不过是文字方面不当心，也许是无心的错误，惟有那在作书上说话上或影片上公然蓄意侮辱我们中华民族的各帝国主义国家，尤其是 × 帝国主义者，才是我们真正的敌人，方值得我们去向他们作抗争。国外的华侨受尽了外人的侮辱；现在东北的同胞受尽了 × 人的侮辱；中国的租界里，中国人处处受各外国人的侮辱，很小的事如殴打黄包车夫，这一切的一切，都是帝国主义者加于我们中华民族的大侮辱，我觉得我们全中国的人能认识清楚这样的大侮辱，都一致的朝这方面去作努力的抗争，那才有很大的意义呢！

（二十三年八月十一日）

# 怎样纪念孔子？

要不是丧心病狂的人，断不能不承认孔子是中国文化史上的一个最光辉卓越的人物。孔子的学说思想，虽然后世尽多误会曲解，但是对于整个中国民族文化，影响是十分重大的。中国陈旧的一切礼教传统，典章制度，所以能够保守到数千年，也可以说一大半是受了孔老夫子的影响。

因为孔子是中国一切传统思想，传统道德的代表者，传统思想和传统道德却不一定是“放诸百世而皆准”的。因此在每一时代，人们厌弃传统思想传统道德而要求解放自由的时候，就不免把孔子搁在一旁；等到社会从新需要传统的思想道德的时候，便要把孔老夫子，大捧特捧。其实圣人之所以为圣人，是历万古而不变的。不管人们捧他，或冷落他，或尊崇他排斥他，孔子却依然是一个孔子，这是很明白的事实。

年代久远的不必说。单从民国成立二十三年的事实来说，辛亥革命，推翻清室，我们已不需要皇帝，所以也不需要尊王的孔子。因此革命政府就把历代相沿的孔庙祀典废除。小孩子入学的时候，也可以不必再向至圣先师的灵位叩头了。到了二次革命失败，袁世凯提倡复古尊孔，于是大成殿的冷落香火，又从新热闹起来。可是过了几年，“五四”运动，揭起打倒孔家店的旗号，这算是废孔运动最猛烈的时候。接着国民党北伐成功，奠都南京。我们还记得北伐军所至之处，不但封闭神庙，而且把各处的大成殿都拆毁，或改作民众教育机关。这时候的废孔，自然比民元更彻底了。

到了今年，政府却又明令规定孔诞纪念日，全国机关学校，一律开会纪念。汪院长在纪念演说中，并声明孔子并不是教主，纪念孔子乃是使民族有共同的信仰。过分崇拜孔子和菲薄孔子，都是不对的。这一番话才是真正理解了孔子的价值地位。

实在的，尊重孔子在文化上的地位，却不盲目地去崇拜孔子，把孔子看作中国民族历史上一个光辉的人物，却不像 × × 帝国主义在东北那样，曲解孔子的王道思想和尊王攘夷之说，以麻醉人民，这才是真正理解了孔子。凡是一切高贵的思想系统，往往容易被人们误用。孔孟之道，从历史的价值加以估记，是十分可以宝贵的。但被恶意地利用，也可当作一切开倒车和麻醉民众的工具。我们要认清了这一点，把孔子看作“圣之时者也”去理解，才是纪念孔子的正道。

（二十三年九月一日）

# 颜大使口中的苏联

苏联这个怪物，已是成为世界之谜了。信仰它的人们，奉若未来的天堂乐土；仇视它的人们，斥为当代的毒蛇猛兽；究竟孰是孰非，记者于社会主义没有深的研究，更没踏过这个奇怪的国土，“实不敢作左右袒”。

日前因颜惠庆大使将要出国，记者于友人的欢送席上得亲颜色，曾作以下的谈话，我觉得很有意思的，特为发表出来，为留心国事的读者们作一参考。

记者问：颜先生就任大使以后，在苏联居住了好久？

大使答：我名义上在苏联是一年，实际上不过是半载，其中一半的时间，是出席经济会议去了。

问：颜先生是主张中俄复交的先觉，对于苏联一定有很深的研究，苏联大概的情形我们可以听听吗？

答：一般人想像苏联这个国家有很大的一个错点，就是以为它是一个新兴的国家，它的都城一定是很富丽堂皇的，它的人民一定是很华美高贵的，其实不然；各国旅行的人们一到莫斯科往往大失所望，它没有欧美城市那样的繁华，也没有欧美男女那样的阔绰，在街上走路的女子们都是蒙着一幅旧头巾，匆匆忙忙去工作，很少有戴着帽子的。原因是俄国这个国家介于欧亚之间，向来是一个经济落后的民族，并没走进工业化的途径。在帝俄时代，虽有不少达官显宦，阔气十足，那不过像我们今天的上海是少数人的享乐，不足以代表整个的国家。

问：今日的苏联和以前的帝俄究竟有什么显然的不同？

答：帝俄的时代也和我们中国一样，人们有百分之八十是不识字的，今日的情形恰得其反，识字的人民，已经有了百分之八十；不识字的人民只剩下十分之一二了，帝俄的时代有许多的矿山是抛弃的，有许多的土地是荒芜的，今日则不然，一切的生产事业都在发展，雇用各国的专门人才有四千多人，他们唯一的口号是不作工不能吃饭，你想全国的人民都起来作工，他们全国的财富应当有怎样的进展！

问：据说苏联在成立之始，人民不惯政府的束缚，痛恨已极，往往借端逃往国外，现在有无这样的情形呢？

答：一个国家在有了一次大的变动之后，一定有许多人过不惯新式的生活，尤其是革命过渡的时期。可是苏联的人民，其驯良服从的精神，较诸中国人民为尤甚，中国有一句俗话说“画饼充饥”，苏联的人民所受政府的宣传，几年后穿什么衣服，几年后住什么房子，却在那儿忍受着现在，等待着将来呢！

问：政府的宣传是不是兑现呢，还是单在那儿开空头支票一点儿不履行呢？

答：八成以上是兑现的，在第一个五年计划之初，各国的政治家无不从旁讥笑，以为那种经济状况之下，怎能有那么伟大的成功呢？可是四年之后，居然有许多的数目字可以发表，各国的人们才不敢侧目而视，肃然起敬了！

问：各国的人们到苏联去参观的日见其多，他们的批评是怎样呢？

答：关于这一点我是特别注意的，收集各国的游记已有卅多种，统计起来，有十分之九是说好的，有十分之一是说坏的，就是这十分之一恐怕也有几分感情的作用。

问：近来白俄对于苏联政府的感想如何？

答：近来有许多的白俄思想转变了，愿回本国。这次我来上海，就有许多的白俄托我担保回去，可是政府方面还是不能十分谅解，这也不过是个时期的问题。

最后谈到苏联的领袖问题，他们都是工作很苦的，待遇很薄的，他们只为主义而努力，从无意气之争，更没听说外国杀到头上的时候，才作初步的团结。

（二十四年三月二日）

# “黄河之水天上来”

“黄河之水天上来”，这黄河水的为灾，似乎古已有之，但于今尤烈。已往前人对于黄河水灾的怎样防范，我们自无从查悉，这除非是研究水利的专家，也许会去注意，然而现在的对于防范水灾的方法，一般人虽不知道，但堂皇的防范水灾的机关和因水灾而设立的许多河官，大家是晓得的。据记者所能够列举出来的，关于水利的这一类的机关，有全国水利委员会，黄河水利委员会，黄灾救济委员会工赈组，还有邻河各省的黄河河务局，这些机关，都是管理黄河的。机关有了这许多，每年的经费一定也不少；再则，既有了这许多管理黄河的机关，那对于防范黄河的工程，应该是可以计划周详，事先防范，使黄河沿岸的居民，可以高枕无忧，永不会复见“黄河之水天上来”的了。但事实是不是这样的呢？

事实的昭示，却实在是太令人失望了，虽然有了这许多的河官和治河的机关，而黄河之水是照样的天上来，并每年的要来一次，这，于治河的官儿，又不是不明悉的。过久远的旧账不去算它，记得前年黄河决口过了一次，泛滥遍三省（冀鲁豫），灾区广数十县，灾民有数百万，田舍损失，更无从估计，时间达八个月，去年的秋天，长垣也又决过口，冀南一带的居民，又不得不长时期的在水中度日了，流离死亡，自不必说。黄灾的善后呢？我们却只又看见负责河官们的互相推诿，互相责难，结果是够苦了被灾的老百姓。两年来黄祸的教训，治河的当局，总该也有一些些的觉悟了，这就是，要在事前去防范，不要等到“临时抱佛脚”，因为一等到“临时抱佛脚”的时候，几十万甚至几百万人民的生命财产，就一刹那之间，要断送在诸公的手中啊！

而今年又怎样呢？很不幸的，从报上带来给我们的消息，却仍是黄河决口，不但决口，并且水势很严重了，据最近报上说：“贯台决口出水，金堤河水深，现在一丈以上，流势尚缓，濮范等县，被灾面积，宽处由三里至五里，长达百数十里。”又谓：“贯台口门，坝埝迭陷，近桃汛暴发，水涨三尺，达去年最高水位，前未冲破村庄，大都淹没，灾民饥寒哀号，亟盼赈济。”事到燃眉，这些河官们，才又手忙脚乱起来了，函电纷驰，请款，察看，堵口，抢修，但已经牺牲了滑县与长垣的居民有两万多了（三月二十四日《大晚报》）。而据鲁西寿张等县灾民代表给当局呼诉的电文说：“去岁长垣决口，孙庆泽玩忽河工，今堵修贯台，负责人又一再延误，致酿巨灾，溺职殃民，均应不赦，去冬贯台水深只六公尺，有人愿六千圆包修，而主持者故意搁置，河工人员，备极贪婪，不证而实，恳将失职人员，处以极刑，以申国法，而正纪纲。”这样看来，水之成灾，不是黄祸，简直是人祸，由上面的许多事实，不是很明明白白的告诉了我们吗？

（二十四年四月六日）

# 勖青年

“时势造英雄，英雄造时势”，这两句话从表面上看来，好像包含着很大的矛盾，其实是一而二二而一的道理，时势造英雄，是说明了环境可以支配个人；英雄造时势，是个人认请了环境而奋斗所得的结果。近年以来，国内工商疲敝，农村破坏，大批有志的青年，多卷入失业的队伍中。不能不承认这是一个极严重的问题；然而放大眼光看来，也确是一个百年不遇的好机会。只要青年们有深刻的认识，坚强的意志，彻底的决心，抓住这个有为的环境，便无往而非用武之地了。

中国革命所以屡次失败的主因，在于大多数民众的愚昧无知，认不清楚他们的敌人，迷信运命，赃官污吏得以剥削，土豪劣绅得以欺侮，帝国主义的势力得以深入，乡人无饭吃树皮，无衣穿穿麻袋；无屋住住地洞，只要有一丝半缕的生机，总是苟延残喘的敷衍下去，一直到不能敷衍的时期为止，至死还是莫明其妙的死了。假如陕甘没有十八九年的大旱灾，几千万人死守故乡，至今还不相信人世上有火车轮船；东北没有“九·一八”的事变，几千万人安居乐业，至今还不明白什么是帝国主义。青年们便应该认清现实的环境，抓住大众的弱点，而去充实他们。

青年们要明白自己的知识，不是为享受而求来的；不是为私有而宝贵的，应该要把我们所知道的公之大众，去作唤醒大众的工作，须要丢开世俗的眼光，须要忍受世俗的批评。我有个学农的朋友，大学毕业后，回家要养猪，妻不以他为夫，父不以他为子，邻里多以他为可鄙，可是这位先生埋头干去，不出三年，把全乡的小猪都养得像小牛一样，农民们有不远百里而来请教的，于是誉满全县，取得农民们的信从；我们由此得到一个很好的教训：就是青年们抓住了机会，认清了时代之后，更非有刚毅果敢之心，坚忍不拔之志，是很难走向光明之路的。

数月以来，我接见许多优秀青年，关于职业问题，求为援助，但是每一谈及，辄以读书为名，不愿离开上海。自然，上海是一个文化的中心，读书是有许多的便利，可是交通发达的今日，外埠也不是没有读书的机会。其实据我看来，恐怕还是恋慕着上海的繁华。总之，大多数的青年还没有彻底的认识到民族的危机，和看清楚当前应走的路，仍是憧憬着一个美丽的乐园，安适的环境，梦想做一个伟人或富翁。青年们，觉悟吧，现在的时代与环境，已不是那“养尊处优”或“高谈风雅”的时代与环境了。现在是所谓“外有强邻，内有国贼”的民族危难关头，我们要打倒我们的敌人，不是写几篇文章，丢几个炸弹就可了事的，必须有大多数觉悟的青年，不辞艰苦，不畏强横，在一种整个民族的彻底解放意义之下，深入社会，痛下工夫，得到民众的信仰，抓住环境的重心，向前干去，然后才有改革社会的力量，才能达到我们所预期的理想。

（二十三年十月廿七日）

# 再勖青年

有一次，听到一位美国朋友说，他在大学卒业的时候，同学们随便谈天，讲到人的死生轮回问题，有一个学生提问："假定我们死后能够随我们的志愿再投生另一个国家时，诸君愿到那一国去？"不谋而合的大家都愿投生到中国来。我们生在中国的可怜虫，外患内忧，交相煎迫，天天憧憬着花样的巴黎，仙似的纽约，这些黄金国的幸运儿为什么反愿意投生到倒霉的中国来呢？这个问题倒是值得研究的。

我尝想：工于绘事的，不写平淡无奇之景；精于算学的，不作平凡易解之题；人生若不是醉生梦死的，在他所干着的事业，涉险投难，虽然尝尽辛酸的味道，而铢积寸累，济世利人，却也有它说不出来的愉快。中国是个地大物博的国家，是个文化落后的民族，有温和的气候，有丰富的出产，有低廉的人工，往往外国一个平平无长的宣教师，来到中国，不出数年，便能做出许许多多的事业。这是什么缘故呢？就是他能利用着中国许许多多的好机会。最近我把亲眼看到的一件事实，讲给亲爱的青年们听吧。

月前因事去庐山，途经九江莲花洞，有一个“竹林居”旅馆，闲静幽雅，建设的极为别致，友人说，这是英人贾尔登的奋斗的结果，闻之极为兴奋。据说，贾尔登在五年前还是一个赫赫有名的富商，位居亚细亚煤油公司大班，拥资到一百余万，颐指气使，仰其鼻息的数逾千百人，只因好作投机事业，亏折至一败涂地，饭碗打碎，荷包里仅剩了三十一个袁头，潜行来至莲花洞，赖中国友人的援助，借洋数百圆，赁屋而居，实行他的新生活计划。

贾君在此租屋数椽，招收中国小学生十六名，教以英语，供以宿舍，条件是共同操作，于是改窗造门，筑亭修院，独出心裁，处处加以艺术化，贾君本非长于斯道，一切工作，均采自书册中。听说建筑游泳池的时候，因为不善使用水泥，买书研究，随筑随毁，至三四次始底于成。因为招待的周到，房屋的清洁，地点的适中，环境的幽雅，旅客来此居住的，无不交口称赞，大有“座上客常满，樽中酒不空”之概，营业情形，蒸蒸日上。

我写出这段事实，并不注意他现在营业如何发达，范围如何扩大，而是钦佩他当初坚苦奋斗的精神，最后终于达到成功。其实贾尔登并没有什么特殊了不得的本领，只不过因为他能利用时机与环境，假如换了一个任何人，依他的做法，还不是一样的成功吗？在这里我们更得到一个最好的教训，即天下无不可为之事，亦无不可造就之才，这关键就在于他是否能认识清楚当前的环境和抓住大可有为的机会，百折不回的往前干。

现在我们中国正是处于一个最困苦危难的时代，也可说是无处不充满着作事的好机会，而青年每每嚷着：“国事不可为”或“没有机会”，岂果真的是“不可为”和“没有机会”吗？

（二十三年十一月三日）

# 为消极悲观的青年们进一言

最近自通车通邮成为事实后，日使有吉氏又携其“增进及维持东亚全局之和平”和“解决中日悬案”的训令，重来中国了。我国当局除了抱着“不承认满洲伪国”的一张国联空头支票外，毫无办法。于是各方的热血青年们，感压迫之日深，痛国亡之无日，义愤填胸，无可宣泄，纷纷来信，和记者讨论厌世自杀的问题。记者对于青年们的苦闷情绪，除十二分的表示同情外，略有一些意见，写出来备大家采择。

中国国家到了这步田地，不是一朝一夕之故。要解救这个危难，也不能期之于最短时日，国难发生，始之于“九·一八”，试问“九·一八”以前有无国难呢？假令“九·一八”事件刚发生时，国联就制止了暴×，国难是否过去了呢？我们要知道“九·一八”事变以前，天天在酝酿着国难，“九·一八”那一天，不过像一个爆竹燃烧到了中心，自然的爆发了。“九·一八”后国难还依然是国难，即使国联真有能力制止了暴×，国难不过换了个方式，实质上中国的危机却依然时刻存在。看明白了这一点，我们对于国难直到现在才焦急起来，本来就不对的。

国难发生在东北，大家只认定这东北一隅的问题，甚或有人认为是东北人的问题。其实这是大错而特错的。东北自为日军占领，自然有许多大官，丢了饭碗，许多民众，遭了残杀；可是在东北未亡之前，中国已经有许多人卖妻鬻子，欲嚼草根树皮而不可得，天天过着国难的生活。不过东北事变发生后，这个嚼草根树皮的区域更加扩大罢了。看明白了这一点，我们对于国难更不必一定在现在这时候才焦急起来。

要知道中国国难的原因，在政治方面由于帝国主义的侵略和封建残余的存在，在经济方面由于生产技术的落后，因此我们这个国难远在千百年来的顽固积习，近在几十年来，外受帝国主义的摧残压迫，内遭军阀官僚的横征暴敛，以有今日这一天。问题这样复杂，局势又这样严重，难道个人的感情用事，悬梁跳海，就能解除国难吗？

我们要有越王尝胆的决心，我们要有愚公移山的壮志。罗马不是一天造成的。民族的历史不是这样短促的。我们要看破虚荣，敝屣富贵，干一件事业，不但要从目前的效果上打算，而且要从意义上着想。国家不亡，我们固然应当坚苦奋斗，国家虽亡，我们也要积极的救亡。我们生在这个国家，生在这个阶段，自当环顾大势，迎合潮流，向前猛进，死既不足惜，其他更何足虑？一个人断不能旋乾转坤，所以我们不必把自己看得太重。天下事往往成功于一念，所以也不要把自己看得太轻。只有被压迫的伙伴们，联合成一条阵线，合力前进，一切就有把握了。谚云“有志者事竟成”。暴力无论如何凶猛，总不敌真理的坚强。一个伟大民族，也不是少数汉奸所能卖掉的。青年诸君，放下消极的愤慨，负起积极的责任，努力！努力！光明的时代就从这黑暗的末日开始呢！

（二十三年六月九日）

# 为消极悲观的青年们再进一言

上期本刊里，记者发表了一些意见，希望青年们埋头苦干，不要走到消极悲观的路上去。但是在这个年头儿，苦干不是一件容易的事。前途遍地荆棘，要是你要前进，包管你到处碰壁。人到底只有人的本领，多碰了几次壁以后，会不消极悲观吗？

但是记者却又有一个意见。在目前这一团黑漆的世界中，我们要苦干，要前进，只有走弯曲的路线，不能走那条直线。因为现在社会是矛盾的，你能抓住这矛盾的弱点，就有路走，就不会消极悲观了。诸君若不信，让我再来讲个故事罢。

这故事却是一件事实。民国十年春，记者在东京读书的时候，有一天，看见街上到处贴着“山下要介氏在满洲十年马贼生活大成功”的几个大字标题。下面写着

“头山满犬养毅两氏在青年会主催讲演”。此外又写着什么“满洲是我们的乐园，满洲是我们的生命线，我们要人人学山下氏的勇敢，不但男同胞要去满洲，女同胞也要去满洲”。用些鲜红的密圈圈着。“满洲”是记者的故乡，看见这个标题，怎不惊心动魄？于是到了那开会时候，记者便换了一套和服，混入人群中去听讲。当时主席头山满致开会辞，介绍了这个“江洋大盗”，在万众欢呼鼓掌声中，山下要介氏便登台大讲其马贼故事了。

照山下氏自己说，他是日本福冈明治专门学校矿科毕业的学生，为要探采我国东三省各地点的矿产，立志要去满洲。山下氏先到奉天，因为东北深山中，到处是马贼，所以要入山探矿非先当马贼不可。当马贼要先学中国话，一年后中国话学得半通，山下便束装入山，自称朝鲜人，求匪首刘大个子收留入伙。当时匪众以山下氏系外族，不准入伙，只准他做一厨夫。山下氏欣然接受。于是昼夜给匪众烧饭担水。山中冬日奇寒，足冻手裂，由山脚担水至山中，常中途跌倒，山下氏却不以为苦。众匪呼山下氏为“老高丽”。过了两年余，忽一日刘大个子告诉“老高丽”说：“看你为人倒很忠诚，从明天起就加入股中，不必做饭了。”山下氏得到这个命令，喜出望外。从此山下氏作匪志愿已达。民国四年，中日廿一条交涉几将决裂时，有中日开战之说。匪众亦有所闻。当时马贼商量，如中日开战，则加入中国军队打日本，山下便自告奋勇，说是愿意粉身为朝鲜复仇。过了几天，中国大批官军进剿，刘大个子为官军打死，众匪几无处藏身。山下氏乃挺身而出，向日领说明，携众匪入日本租界，官军无可如何，匪众遂得安全。于是众匪推“老高丽”为首领。山下氏一股匪众日多，势力愈大。后来就携众入吉林深山中，采得各种矿石而归。山下氏入满大志，便告成功。

这个故事是讲日本帝国主义侵略史中的一个逸事，惟却未始不能给我们一个有益的教训。帝国主义者尚且要如此迂回曲折，埋头苦干，才达到目的。我们是不是单凭一时感情，就能找到前进的道路，愿青年诸君深思一下。

（二十三年六月十六日）

# 青年是可爱的

“青年是可爱的”，这句话说得老气横秋，有点好像七八十岁的老头儿口气，其实记者年岁未满四十，这句话若被九十六叟马相伯老先生听见，一定要骂这乳臭未干的小孩子，怎么也会学起老人家的口调来呢！

我这“青年”二字是有来脉的，是指着十八岁以上卅岁以下的。想读者诸君还能记着吧，在本刊第一卷第四十九期不是有过招考江西陶业人员养成所学生的广告吗？这些被考取的青年来自各省，来自各校；有的生在乡村，有的生在都市；有的由乡村而流入都市，有的由都市而跑到乡村；还有的由都市而大都市而经过重洋的。无论其出处如何，其所受的教育如何，其过去的经历如何，而他们那种服务社会，刻苦耐劳，和勇于前进的精神，却与世界各国任何青年是一样的。在我们这个陶业养成所开学召集之始，虽然他们当中有少数的青年，带点不良的习惯，然而一经训导，无不服从纪律，改过自新，这自然是教育他们的师长们先要以身作则；可是他们那种趋善避恶的精神，也值得奖励的。

我招考这些青年，是为改良景德镇的瓷业的。景德镇瓷业的衰落，是由于工人技术和习惯的恶劣，工人技术习惯的恶劣，是由于社会教育的不良，和污浊环境的诱惑，（例如烟，赌，娼，等等。）所以说要改良瓷业，须先改良瓷人，要改良瓷人，先须改造环境，这般青年，就是负着这大的使命而来的。

我常常这样的发问：你们（指青年）能否救国，要看你们能否救救景德镇；你们能否救景德镇，要看你们能否吃苦；你们怎样的吃苦，要看你们能否严受训练，与恪守纪律。结果他们是无条件的接受了。要他们作工，他们可以作比工人还苦的工作；要他们读书，他们可以拼命的去读书；要他们讲演，他们可以滔滔不绝的讲出许多道理来；要他们学艺术，他们可以画出很美丽的图画，可以唱出很好听的歌曲，可以排演新旧剧，还可以弄出许许多多奇奇怪怪有趣味的把戏来。这一切的一切，都是为改良景德镇而作准备的。他们现在是这样，我想他们将来也能这样。他们是青年当中一部分，既能这样，我想任何青年都能这样。谁说青年不可爱呢？

数月前天津《大公报》的《星期论》文里丁文江先生说过：近年以来，中国有一个极不好的现象，就是青年人与中年人互相误会。我以为青年人误会了中年人是可原谅的，因为青年脑中是一张白纸，看不惯社会上这种种不合理的现象，非经中年人详加指导，何从了解？而中年人误会了青年人，那就是万万的不该了。中年是由青年时代过来的，自己跑错了道路，还要强迫人家跟着自己瞎跑，这不是一个天大的错误吗？

（二十四年五月十一日）

# 儿童是更可爱的

记者在本刊第二卷第十六期里写了一篇《青年是可爱的》文章以后，觉得那文句里面还有点语病，就是“青年”指在十八岁以上三十岁以下的，这个定义未免太狭了，好像把十八岁以下的青年们都关在门外了。其实不然。十八岁以下的儿童们是更可爱的，理由详在后面。有人问三十岁以上的人们是否可爱呢？这个问题我倒有点答不出了，因为吃酒，赌博，逛窑子，吸鸦片，以及种种不法的行为，都是在这个年岁以后发生的，大概是没有什么可爱的地方吧！又有人问：老年人是否可爱呢？我不是敬老会的会员，也不敢说一定。譬如说，像美国的爱迪生（已故），英国的萧伯纳，德国的爱因斯坦，苏联的高尔基，以及我国的马相伯，这些个老头儿，或有益于人群，或有功于社会，我们固然希望他们长命百岁的，越老越好；至于一些私心重重，贪财好色，丝毫无益于社会与国家，像郑孝胥那样的老妖精，干脆地希望他老早死就得了。

闲话说得太多了，还是收归本题吧！“儿童”为什么是更可爱的呢？读者诸君，还记得去岁十月间各报轰传着淮安七个儿童旅行上海吗？这七个小孩子最长的不过十七岁，最小的只有十二岁。他们没有父母的照管，没有教师的领导，就是这么小小的七个儿童，组织了一个小小的团体，乘船坐车，投宿下店，在我们看来，极平常的一件事；在他们却是一种新的尝试，由极荒凉的江北，来到了极繁华的江南。身穿布衣，足登草鞋，忽而参观，忽而讲演，忽而售书，忽而卖报，以劳力之所得，供旅行之所需，社会作了他们的大学，社会上的种种人类，作了他们的教师，社会上形形色色的生活，作了他们的功课，不到两个月的工夫，他们进了许多的学校，看了许多的工厂，他们认识了帝国主义的面目（到工部局里去），他们听见了亡国之民的呼声（与印度人谈天），他们体验了下层民众的痛苦（在黄浦滩码头），他们尝试了高等华人的尊荣（在静安寺路某宅），他们也受过无赖的揶揄（卖报时），他们也看过酷吏的脸孔（在火车站），他们也饱受了各界同情者热烈的欢迎，他们终究得到了胜利，满载而归。这一切的一切，虽也由于社会各方面给他们的帮助不少，然而他们那种伟大的志愿和勇敢坚苦的精神，是不是更可爱的呢？中国一线的希望，还是在这般青年和儿童的身上呵！

其实这一套把戏都是好友陶行知先生弄出来的，陶先生是一个老教育家，是提倡普及教育的。他看到中国宝塔式的教育要塌台，就是不塌台也只能供给少数的公子小姐做装饰品，所以他用苦干的精神，他用工学团的组织，他用小先生的办法，他的把戏很多，这个儿童旅行团不过是其中的一个，结果是试验成功了。

可惜这七个儿童我没有亲眼看见，只看见他们的旅行记罢了，这本旅行记是他们的老师汪达之先生送我的，汪达之先生就是陶行知先生的高足。

（二十四年六月一日）

# 我所敬爱的几个青年

民国二十年秋天，东北发生了历史上最重大的屈辱事变，在那当儿，民众一个个热血沸腾，义愤填膺。因此就有一些专靠贴标语喊口号吃饭的朋友们，抓住了机会，借着抗 × 救国，来塞满他们的荷包。更有许多商界领袖们，挂了不卖仇货的牌子，暗中却向 × × 行家，进了大批低廉的货物，作他们本细利粗而最有把握的营业。拆穿西洋镜说，那时的抗 × 救国运动还不是变相的贪污诈骗吗？

但是真正在那里干的热血志士到底不是没有的。不过真正干着的，不是党国要人，也不是商界领袖，而是些给社会瞧不起的穷苦青年。

这年冬天，我到了九江，无意中遇见一群热血的青年。他们都是不上二十岁的青年，没有受过初中以上的教育，他们都是商店的学徒和小店员，他们看不惯他们的老板仗着抗 × 挣钱的把戏，自己组织了一个“良心救国会”，热烈地闹着抵货运动，亲自带着样品，到处奔走，使民众知道什么是仇货，什么是国货。竟因此引起老板的切齿痛恨，到年终就打破了他们的小小的饭碗。

可是他们没有绝望，却始终艰苦的干着。其中有一位金辅仁先生和一位黄达衡先生，便发起，七拼八凑，开了一家“九·一八商店”。记得有一天，在九江旅馆里，我同他们说了些中外成功的故事，鼓励着他们。他们听了一个个眉飞色舞。我离九江时，他们都冒着大雨送我到船上。

这两年来，我不断打听他们的消息，始终没有着落。这次又有机会到了九江。我居然找到了他们，而且那家“九·一八商店”现在是开在中心的街市了。店面虽不大，布置得却井井有序。但是我没有遇见金辅仁先生。黄达衡先生告诉我金先生的经过事实，才知是一幕痛心的悲剧。

原来据黄先生说，他们这几年的奋斗是十分艰苦的。他们第一年就亏耗了二百余圆。第二年又筹了一些资本，才勉强可以敷衍。但是金先生不能不舍弃他所苦心经营的事业。原来他从前的经济全仗他伯父的接济。前年伯父因为他不能挣钱，就叫他到自己开的店铺做事。那时“九·一八商店”正在最艰难的时候，他不能离身，就拒绝了伯父的要求。他的伯父就断绝接济。他在店内只有每月六圆的薪水，他又要买书买报，又要缴函授学校学费，自然无法生活。他的夫人只好在乡间亲自下田，种菜种豆来帮助他。谁知他的夫人在田内，给毒蛇咬伤，因无钱医治，竟而殒命。从此他弄的家破人亡，他的母亲再不让他出门。幸而他从函授学校学会了养鸡，现在他正在本乡，干着养鸡的事业哩。

我听了黄先生的话，不觉伤心无限。我觉得这虽然是十分细小的一件事，但是同样的悲剧，正不知多少。最后我慰劝黄先生的话，是说：“我们鼓着勇气，团结起来罢。只有团体才能改变这自私与黑暗的社会。至于我们个人的力量是太微弱了！”

（二十三年五月十九日）

# 告别读者诸君

今天是记者最后和读者诸君谈话的时期了。本刊诞生至今，不过一年有半，在这一年半的期间，中国民族的生命在风雨飘摇中。记者编行本刊，不知经过了多少折磨，受到了多少鸟气。但我们总是立定脚步，咬紧牙关，忍耐着，希望着，希望这一线不灭的微光，长此支持下去；领导着有觉悟的青年们，奋发猛醒，共同前进。不料光天化日之下，来了一个霹雳，竟将我们这一线的微光都被遮断了。

读者诸君大概做梦也猜想不到罢。×× 帝国主义用武力占据了东北，侵夺了华北，甚至支配了整个中国的政治，还觉得不爽气，现在帝国主义的威力，却打击到我们这个小刊物的头上来了。本刊一向站在反帝的立场，对于 × 帝国主义者更毫不客气的常常揭破他们的阴谋，因此得了一个“触犯刑章”“妨碍邦交”（见上海市政府令）的罪名，一纸命令，竟限日停刊了。本刊为反帝而创办，尽反帝的使命，现在又为反帝而牺牲，这牺牲是光荣的，我们所乐意的。现在趁这最后的一个机会，让记者向读者诸君说几句话罢。

本来中国的民众，已经踏入了生死存亡的关头。出路只有一条，就是发动民族抗 × 战争。坐着空谈，是不能而且也不许的。看看全国的农村，看看全国的都市，看看全国的金融工商，看看全国的政治文化，从那一方面你能找到出路呢？坐在“沙发”上的先生们尽管喊着救济农村，而农村的饿莩们，像流水般一批一批转入都市来。住在“月宫”里的老爷们，尽管高唱救济工商，而工厂商店的大门，像鞭炮似的劈劈拍拍的关闭。贪官污吏，加紧榨取，土豪劣绅，拼命盘剥。自然，只有这般东西才愿维持他们的残局，也只有这般东西才愿和帝国主义去勾结。谁是我们的敌人，不是已很清楚明白了吗？

但是，读者诸君，我们没置下广厦万间，怕什么飞机；我们并没有金玉珠宝，怕什么炸弹。我们的要求很简单，只是牺牲与真理。常言道：“牺牲一身剐，便把皇帝打。”北方有句土话说：“横的怕硬的，硬的怕不要命的。”我们的命不要了，还怕什么呢？

帝国主义敌人的脑袋不是铁打的，身体也不是铜铸的。我们没什么高深的计谋，就是你把我拖下水里来，我把你拉到泥里去。你不叫我活着，我也不叫你太平过去。十个臭虫能制服住一个活人，使不得安枕，难道说我们连一个臭虫都不如吗？这就看我们肯不肯彻底的牺牲罢了。

因此，本刊虽然被迫停刊了，我们虽然生活在一团黑漆的时代，但是我们的前途是光明的，胜利的。亲爱的读者诸君，请记住过去的屈辱，认定正确的路线，鼓起斗争的勇气，担当历史的使命。让后代的人们知道，最后胜利不是属于帝国主义者，到底是属于被压迫人民啊。

（二十四年六月三十日）

# 从上海到重庆

韬奋吾兄：别后国事日非，噩耗频传，哀我国人，曷其有极！弟等离沪时，抱着很大的希望，以为在此国难当前，同仇敌忾，沿江一带定当得到全体同胞的同情，团结起来，一致对外，但是船至江心，疮痍满目，我们的希望已经减低十分之四了。

今岁水灾之后，沿江两岸，颓坍不堪，岸上居民蓬首垢面，伏处穴中，这些同胞们的生活问题尚待解决，所谓东北问题，在他们看来，不算是最切要的吧！同时联想到我们百分之八十农界的同胞，虽不能尽如这少数同胞的苦痛，可是他们的课税奇苛，债务未了，食粮不足，籽种未备，以及男婚女嫁种种问题，在他们看来，都比东北问题还是重要些吧！

我们这次同船的旅客百数十人，而百分之九十，除了玩赏风景之外，或卧斗室，喷云吐雾；或坐客厅，玩弄麻雀，看他们那种兴高彩烈的神气，大有天下太平的景象！所谓东北问题，那里值得他们的注意？因又联想到那些住在重要商埠的资产阶级的同胞们，舞场拼命去跳，麻雀尽力去打，鸦片大口去吃，又谁肯耐心忍性来讨论讨论这个东北问题呢？所谓一致对外这句话，不知应向那一班人去讲？

轮行十三日方到重庆，时天色已晚，细雨如毛，下轮时小船云集，喊声如雷，那种噪杂状态，世界任何国家难与伦比！我国人办事之无组织，无秩序，到处可以表现。

我们到了重庆，第一感觉奇特的，就是军人之多。敝衣赤足，到处都是。每一军界要人出游时，则随行差弁四五人，或七八人不等，即军官之女眷出购服物时，亦有三五兵士为之携男抱女。此等现象，十年前常见之于东北各省，不料今日复见之于重庆。重庆最高机关要算是二十一军军部了，所有行政教育统归该部直辖。中国国民党口号曰“党权高于一切”，在重庆恐将改为“军权高于一切”吧！据说不但重庆如是，川中各地无不如是。最奇怪者，许多报馆主笔或学校校长，卡片上都冠以军部的谘议或顾问等等头衔，甚或有几校的校长整天坐在军部而不到校服务的，这或者也感到国难当前，军事较教育为重吧！

第二感觉奇特的，是重庆街中到处书有什么“吻春雅室”，什么“刘记谈心处”，又什么“新漂川土”，询之友人，方知均系鸦片吸食所。据当地人云重庆人口约六十万，而吸食鸦片者要占十分之三，此种营业之发达已可想见。更滑稽者在此等营业门前亦书有种种抗 × 标语，记得有一家门首书“卧心尝胆”，“誓死抗 ×”两语，彼以“薪”字误“心”，大可寻味！盖鸦片之苦不亚于胆，彼卧心尝之，将往阴间抗 ×，故有誓死字样！（一笑）据重庆友人云：重庆每年出入口货约值一万二千万两，但出口货中，只鸦片一项，即值银五千万两。设重庆无鸦片出口，每年即有五千万之入超，今重庆入超问题虽云解决，而此五千万之毒品蔓延全中国，受其毒者曷可数计！将来全国同胞均将“卧心尝胆”，自奔枉死城，而所谓东北问题，国难问题，更待谁商？书至此，弟心滋痛！

重庆街市随处有面黄饥瘦的瘾君子出现。尤可怜者，抬轿的轿夫中十之四五是染了阿芙蓉癖的。他们每日用一滴汗一滴血换来三四毛的工资，多半消耗于芙蓉城里，所以更弄得衣不蔽体，食不充饥，而青脸长发，酷似城隍庙中的鬼卒！

以上所云，多系伤心泪语，吾兄阅之，当更寒心，但弟由此行而得可慰之事亦复不少，兹略述如下：弟此次到重庆，获晤卢作孚先生。卢公实川中之人杰也。六年前即见到重庆之商业空虚，经济可危，乃号召同志，组织一民生公司，造有轮船十四只，为挽回长江的航权；附设机器厂一处，为修理轮船之用；并为便利重埠商民计，设电灯及自来水厂。公司成立之始，资金不足五十万圆，今加以公积金及历年摊提，几近原额之二倍。经营之善，川人共称。复于民国十七年组办北川公司，铺设轻便铁路，为采煤之用，今亦成绩斐然。重庆之西一百廿里处，有北碚镇者，该地背山面水，地势险恶，居民蛮野，时出掠夺，民十六卢公兼任该地峡防局长，悉心治理，化险为夷，首练军队二百人，除剿匪外，兼任警察职务，近因匪患已除，以军队修道路，兼作浚河工作。设实用小学一处，以兴教育；设民众学校三处，以奖励平民识字；设民众俱乐部一处，每日有演讲，并附以电影，提倡民众正常娱乐；设图书馆，引起民众读书兴趣；设地方医院，每年施布种痘的两万余人；设公共体育场，劝导民众注重体育；设乡村电话局，以利交通。此外更以五万资金倡办染织工厂一处，每月可织布一千二百匹，袜子二百打，并附设缝纫工厂与石印厂在内，以上种种设施，虽粗具规模，均著有成效，而经费一项，每年不过八万圆，由过往船捐项下扣用。以有限的经费，办许多的事业，卢公之精神毅力，有足称者。此外又向各方捐款，以四万圆建设温泉公园，及中国西部科学院，研究生物与地质两科，该院复设有农场博物馆及动物园，并设兼善中学一处，组织义勇队二十名，每岁到川康各地游行，为采集科学标本之助。复另集资金两万圆，办农村银行，内附设消费合作社，专为以上种种机关服务。此外有《嘉陵小报》，为传达各项消息。最令人惊异者，以上种种机关皆为卢公训练出来之二十岁左右青年所经理，弟皆亲自访览，不胜敬佩。

北碚面积纵横一百二十里，昔称野蛮之地，今变文化之乡，以一人之力，不数年间而经营如此，孰谓中国事业之难办？党国诸公对此作何感想？卢公年四十许，思想缜密，眼光锐敏，处事勤奋，持身俭约，虽时至今日，仍短服布衣，出门向不用车轿。至彼在北碚二十年内之计划（今已四年），即充实内容，深入社会，以全力建设经济基础。弟之来川，以得晤卢公为平生第一快事。由卢公介绍何北衡及汤壶峤诸君，皆孜孜于事业，与卢公共策进行。皆是重庆之中坚人物，其他青年同志，由卢公介绍者亦复不少，兹以人多，不及备载。

川地民气激昂，亦不亚于他处，关于为马占山将军助捐一事，已可概见。据重庆中国银行周经理谈，有峨眉山接引殿和尚某自汇洋五十圆，谓系多年积蓄，愿助马将军以御外侮。又有万县苦工某汇洋一圆，自云每月工资仅得两圆，愿以半数为马公助捐。又有无名氏者自携金练子一条交中国银行，请代售款若干以助马，只中国银行一家，每日收到捐款至五千余圆，可见吾国各处人心尚未尽死。不过弟所最感需要者，各地同胞徒作情感上的愤激，不想实际上的工作。卢公云：国人对于国难问题因未想出应付办法，故尽量愤慨，若想定个人应行途径，即循序进行，埋头工作，绝不如现在之徒事喧嚣也。以上数语，弟觉得至有意味，日人宰割东北，是几十年中已下了诱引束缚种种工作，九月十八日不过操刀一试耳。国人事前不事研究，不加预防，临时感到痛苦。徒事呼喊，殊觉无益。弟以为对付日人途径固不仅一端，而仍从经济方面入手，较为有力。此次抵制日货，日人实受绝大痛苦，只重庆一隅，每年棉纱入口值银四千万圆，其中十分之七来自日本，今已无形绝迹矣。又有人云，日本在中国内地轮船五百三十四只，今已毫无营业。此外上海纱厂之关闭，各地商业之萧条，是皆足以制日人之死命者。至日本内地工商业亦必感受同样之痛苦。吾国如能继续坚持半载，敌将不战自乱。同时吾国各省宜速作经济调查，究之某省出何原料，某省有何事业宜急先办理，集中资本，集中人才，联络各项专门而有经验之人才，以供各项工业之指导与工作，审慎行之，不出三年，可办起许多事业。弟所想者大致如斯，至详细情形，尚须与兄等从长商讨。

国人对于马占山将军之捐款，异常踊跃，固足以证明国人之热心国事，与崇敬忠贞之心理。然同时在另一方面，似亦证明国人思想单纯，自己缺乏责任心。弟每与国人谈到东北问题，大家只有希望马占山将军于最短期中夺回失地，所以讲到救国问题，也就只望马将军如何如何，在他们心理，仿佛希望马占山是一个《西游记》上的孙行者，拔下毫毛，摇身一变，就能变成三万六千个马占山，东北问题只待他一人替我们解决罢了。至于个人应作如何工作，却少谈起，也少想及，所以重庆人有提倡举马占山为中国大总统者，又有说马占山原是四川人，年不过卅许，少年英俊，曾卒业于某某军事学校，文才武略，兼而有之，造出种种无聊之语以自宽慰！

（二十年二月二十四日）

# 新　机

韬奋吾兄：弟初到汉口时，看见街道齐整，人烟稠密，标语贴了满墙，漫画更描写的有趣，以为这个地方大有发展的可能，殊不知竟有大谬不然者！反日救国会直成了一个空壳子的机关，外表弄的很煊耀，内部却非常冷静。党部骂商人不知爱国，商人恨党部专权把持，他们孰是孰非，局外人无从知晓。学生虽闹了几次运动，湖北当局鉴于京沪的风潮，防之如临大敌，现在已均被压迫的毫无声息。所谓一般知识分子，或在社会服务的人员，多是娴于交际，巧于辞令，而滑头滑脑的毫无诚意表现。（自然好人也有，但为数无多耳。）谈到这次东北问题，他们总愿以应酬了事。至于东北存亡，在他们看来，好像是无关紧要的。最令人伤心者，他们知道我是辽宁人，常说："这次你们满洲真是可怜哪！"好像他站在一个完整的国家里，已经把我划在界外了。唉！我们是要解决这个整个的国难问题，他们偏要以无聊的慰藉来应酬我，这是使我最觉得痛心的一件事。

武汉自水灾之后，乞丐如麻，热闹街口，不出十步，总能看到一位沿门乞讨，厥状堪怜。三日前弟曾到灾民收容所参观一次，席棚草地，几十人杂居一穴，衣物零乱，污秽不堪，穴旁即茅房，水沟臭气熏天，令人不能停步。唉，这简直是十八层地狱，那是人间呢？可是返观庄严壮丽的旅馆与夫灯壁辉煌的酒楼，还是酣歌醉饮，豪赌狂嫖，一掷千金，一局十万，那一种奢华浪漫的生活，不亚于万恶渊薮的上海。国内有人天天怕共产，当局天天防共产，但是这一种的现象，我不知为谁造机会呢！

弟来汉口已经十日了，工作的成绩几等于“零”，虽然整天的各处奔跑，不是谈些应酬话，就是享些闭门羹。仅仅汉口商会先要了演说的稿底，又经了警备司令部的审查，才允许讲演一次。工作之难，于斯可见！可是在这万难之中，犹有三事足资慰藉者，谨陈于下：

（一）武昌方面有中大校长陈叔澄君，二十年前留学日本，归国后以数十万家资，捐助于手创之中华大学，惨澹经营，不遗余力，卒业学生达三千人，供职各省，对于社会贡献颇大，今岁虽遭大水之灾，仍在挣扎奋斗中，全校学生一千八百人，大学生四百，中学生一千零八十，余为小学生，陈君外柔内刚，作事有条理，有毅力。

（二）弟在汉口商会讲演后忽来有志青年三人，自谓余等皆《生活》读者，愿与先生作进一步的恳谈。弟急应愿领教诲，乃假商会一室谈数十分钟，始知彼等除服务外，并作种种有组织的救国工作，弟因寓中有友人等候，不得不早归，乃另约翌晚七时在寓恭候，届时果又来，除前次三人外，又多来五人，均在二十岁左右，英气勃勃，思想清晰，对国事均极愤慨，经弟作长时间的慰勉，均欣欣有喜色，并誓竭精诚，作永久之奋斗。此辈青年实国家之元气，亦吾侪之良友。

（三）汉口《新民报》记者黄菊圃君，也是一位热心国事的好友，近来他在他的报纸中另辟一栏“小国民周刊”，专备十五岁以下的小国民发表思想之用，投稿者异常踊跃。据说由四岁至十五岁已有一百多个小朋友，九月十八日以后，更激昂慷慨，悲愤壮烈，其中诗歌讽画，极饶兴趣。有时黄君召集他或她们谈话，约定时间，不差分毫必到，如黄君因事稍迟片刻，则群起大兴问罪之师！他或她们若有函询之件，限期必须答复，若不答复，他或她们就要来个哀的美敦书！因之黄君对他或她们决不敢失掉一点信用，此外尚有种种趣谈，弟闻之极为振奋。因想我们中国种种的恶习惯，或须待此辈小朋友来改革吧？

据上三事，我们相信中国的正义未灭，元气待补，新机方在萌芽，望兄紧握着你的秃笔，弟愿喊破了我的喉咙，来向我这个冥顽不灵的社会猛攻！

（一月十一日）

# 锦绣河山

弟于本月十三日离鄂赴湘，此行所得感想，较前大佳。三湘土地肥美，风景宜人，虽时至严冬，而气暖风和，绿菜满地，恰似北方之秋季，弟在粤汉车中，已觉此锦绣河山着实可爱，车行十七小时，即抵长沙，下车后见街道整洁，服装朴素，知湘省同胞尚未尽染沪汉之豪奢也。

长沙民气甚盛，自动组成之救国团体颇多。湘友性多忠直，待人极诚挚，弟住长沙不过八九日，蒙各友竭力招呼，讲演十数次，每次听众多者至千数百人，惜乎各校均在假期，学生多半归里，青年学子殊少接洽。湘省教育甚为发达，而成绩优良者又多在私立学校。

湘人富于创造性，弟于最短期间得到几人成功的历史，颇有足述者：

（一）有廖奕者，幼年失学，流为乞丐，稍长作叫卖生涯，再长入伍当兵，年二十始知失学之苦，亟谋读书机会，然以贫无立锥，终为孔方兄所困，从兹自习书算，辗转至二十五岁，始费尽种种周折，得入长沙师范学校，以二十五龄之大童蒙，与一般中学生或老秀才相较量，其程度之差何啻天壤，然廖君不顾一切的刻苦潜修，卒业时竟于一百零四人的同学中而名列第九，全校师友大为惊骇，卒业后在长沙任教职七载，复借勤工俭学的机会赴法留学，在法八九载，仍是一面读书，一面刻苦工作，他不但学到一个机械专门的本领，而且每月拿到一千五百佛郎的工资，除自用外，尚可寄到国内养育他的家小。去年暑假时他又将他的两位令郎送到比国留学去了。廖君这种奋斗的精神实在值得我们的注意。廖君今年四十四岁了，前年归国，现任长沙平民工厂厂长职务。

（二）有周方者，十年前卒业于武昌高等师范学校，历充各中学师范教员，与同事罗君深感学校之刻板式教育于社会方面无大补救，乃共议一方服务教职，一方创办平民学校，由各校同人中捐到数十圆基金，借了一处官房，即开始办平民教育，所有桌凳壶碗皆由借用而来，凡任教职者多系各校同人于课余之暇纯尽义务，续行一二载，成绩甚佳，失学成年赖以救济者甚众，其后因女子失学较多，几成一女子平民学校。政府考其成绩佳良，每年由政府方面补助三四千圆，又经多方募到基金若干，今竟有四层楼房，购买了许多缝纫机器，遂变为女子模范职业学校矣。学生现已有二百六七十人，共分六级，程度高低不等，其特殊之点，学生于读书之余，须实行作工（缝纫），所作者皆社会上实际应用的工作，非若普通职业学校令学生造几朵花，织几身毛衣，摆在成绩室里专供参观者玩赏玩赏。他这学校无成绩室，只有工厂。他说他的成绩室放在社会里边。学生的成绩，按她每学期所得的工资为断，若得不到法定工资的数目（因学级之高低而定其数目之多少），就得降级，所以学生异常勤勉，但是所得工资全归学生自用，因之特别勤苦的学生，每年所得的工资足够她们宿膳的费用。罗君任校长，周君任主事，至今他们二位还是以别校的收入维持生活，来办这个义务教育，这种为人牺牲与改革虚伪的精神，大有表扬的必要。

（三）湖南是瓷器与玻璃的原料最好而又最多的地方，矿山之长有至六七十里者，煤矿亦极丰富。制造瓷器或玻璃，实为天然便利的区域。惜乎黄金满地，拾者无人。有萧泽者，幼进私塾，长入邮局，从未学过一日科学，闻湖南有这种宝藏，乃买化学书自行研究，十四载的邮局生活毅然舍去，专从事于玻璃瓷器之制造，迩来又廿年矣。所制之各种玻璃器物，几驾乎舶来品之上，惜无巨大资金，不能制造板玻璃，瓷器于前年从事研究，虽未能登堂入室，然已大窥门径；今岁再稍加改良，大可与舶来品比个高低上下。然亦因限于资金，无大发展，萧君今年五十有二矣，而研究之精神仍是有加无已。设如政府加以奖励，社会予以提倡，其所成者更不止几十百倍于此。留学生岁糜国家巨款，学得一知半解，归国后毫无贡献，即或稍有所成，亦不过拾外人之糟粕，改头换面而已。以视萧君之精神与毅力，有愧多矣。

湖南地方当局除少数分子不洽舆情外，其余尚知自爱与努力。其中以财长张君尤为勤苦清廉，闻服官多年，而布衣帛冠，财产殊廖廖。弟对张君不识其人，且未谋一面，以上所云系采诸长沙舆论。

长沙《生活》读者亦甚多，弟于青年会讲演毕，来寓面谈者络绎不绝。他们都有正当的职业与正当的娱乐，每晨六时即齐集于青年会的健身房，练习国技，他们这个团体叫作精武体育会，有两位北方教师专教他们拳术棍棒刀枪诸技。弟曾去过两晨，看他们那种勇武的精神，与熟练的技术，实在令人羡慕。内中有位张文德君，系广东朋友，他的技术较高，道行最深，粗腿大脚，虎背熊腰，真是一位雄纠纠的铁汉。据说十年来未曾尝过药味。前闻吾兄稍患不适，他们都非常关心，这次嘱弟转达吾兄每日早起也要练练刀枪，耍耍棍棒，打几个飞脚，张几个把式，不但是一个文中的宿将，也要作一个武中的魁首，不但是一个思想家言论家，还要成一个武术家实行家，他们这一切的良言美意，我都替你接受下来。

（二十一年一月二十七日）

# 向前干去

韬奋吾兄：长沙情形，前函业经详述，弟于一月二十四日来九江，住四日又去南昌，谨将九江南昌两地状况，报告如次。

九江据长沙下游，商业尚称繁盛，教育机关殊寥寥。抗 × 救国会照例已早有组织，主其事者为党部人员，分门别类，冗员用了很多，结果是招牌虚悬，毫无功效。各商店青年店员目击时艰，奋臂而起，纠合二百余人，组织一个良心救国会，于是许多顽固的老板们大动干涉，说他们吃了公家的饭，干些私人的事，形同造反！他们辩驳说：我们为救国而办会，有什么私事之可言？老板们更大发雷霆，说以堂堂的蒋介石张学良都不能怎样，你们这般无识无知的东西，就能救了国家吗？但是任凭老板们如何动怒，如何唾骂，他们还是不顾一切的辛辛苦苦向前干去。他们每人每月只能拿出两毛钱的会金，维持这个会务，借了一处新安会馆，内中陈列各地各种抗 × 书报图画，供人阅览。他们又由每家商店中将仇货的样子剪下，集在一处，供人参观。每日几人轮流值班，专为招待及解释仇货之用。有时他们要检拔干员，携带仇货样品，到四乡去讲演。弟初到九江时，即遇到几位店员，痛述他们环境的困苦，并云在此旧历年关，还有几家老板要下逐客令的。但是他们已经有了准备，就是失掉位置，或露天摆摊，或提篮叫卖，也是要拿着仇货的样子，时时不忘仇货的宣传。这种精神，实在令人钦佩。弟借该会作了两次大规模的讲演，为他们增加了许多的声势。

南昌民气较九江为盛，然远不及长沙，弟到南昌寓青年会，蒙常蒋两干事特别关照，在该会连续讲演三日，听众日益加多，讲毕承心远葆灵两校之请，又在该两校各讲了一次。有志青年起而组织抗 × 运动者亦复不少。弟到南昌注意事项有二：（一）瓷业；（二）共党，盖二者皆系江西之名产，前者日趋消灭，后者日渐发达，兹将详情胪陈于后。

江西制瓷始于汉世，名于六朝，发达于唐宋，北宋真宗以后，景德镇之瓷器蜚声环海，驰誉全球，非特关系国计民生，且于吾国之文化史上实有绝大的贡献。乃土人拘守成法，泥古不变，晚近海禁大开，外瓷源源输入，技精术美，竟驾国瓷而上之，赣瓷至此，遂一落千丈矣。据同学张君云：景德镇工人知识低浅，性极顽固，一器之成，须经六七次手续，此六七次手续，即有六七种工人。而各种工人各有工会，会中壁垒森严，外人不得窥其堂奥。有人若在景德镇提倡改良制法，这般工人必群起反抗，轻则饱以老拳，重则有生命危险，赣瓷不易发达者一。

景德镇瓷窑向来烧柴，其柴皆取自附近山中。国人对于森林，徒知采伐，不知培养，是以取柴日远一日，近来即须由三百里以外运来。柴价既贵，运费日高，赣瓷不易发达者二。

景德镇之瓷器，原料皆取自外方，价值涨落无定。釉药产地，又为地方上几家土豪所把持，价格居奇，昂无伦比。原料既贵，制品成本自难低廉，赣瓷之不易发达者三。有上三因，景德镇之瓷器只有江河日下，日趋于衰落之途，无怪南昌九江各地均有洋瓷之势力，改革之策，亦非绝无，兹限于篇幅，未暇赘及。

此间共党情形，亦与世间所传说者迥异。据瑞金县同学刘君云：（瑞金已成共党的大本营）烧杀极惨，奸淫则无，每至一县，有资产者杀，有知识者杀，房文地契全行毁灭，华屋美室一概焚烧。自然，贪官污吏土豪劣绅亦同在不赦之列，但是良莠不择，玉石俱焚，造成一个极大恐怖状态。他们将所有农田，重行划分，授与贫农苦工耕种。

共党首领不居城镇，不居华屋，均伏处于山中，或地下，借以防飞机炸弹之袭击。共军惯于登山，习于跑路，无事时常以此二者相练习，故国军兜剿之际，数十万大军，环围四周，彼辈毫不惊惧。以静制动，以逸待劳，并有当地农工为彼协助，将国军诱引至山中绝地，欲进不能，欲退不得，因而缴械遇害者甚多。盖北方军队既不惯于登山，又不熟悉路径，兵虽多，械虽良，无用也。

彼辈近更以巧妙的宣传方法令国军不战而自馁。其法乃于缴械后附和者编入红军，否则给资遣散。于是国军皆知战无必胜之望，败有川资之奖，相率入敌，不攻自溃。良以土匪式的军队，非被骗而来，即为饥寒所迫，趋吉避凶，临难苟免，是亦应有之结果，何况兵饷尽饱上级官吏之私囊，兵士生活不如乞丐，欲其枵腹鼓勇，又乌乎得？

年来剿共声浪甚高，稽其实际，反为共党增添实力不少，赣鄂湘三省已入共党势力范围者，总在百县以上。以故国库日空，民生日蹙，而豪官大吏尚复宴安鸩毒，粉饰太平！最可怜者，共党区域邻近各县，兵来则共去，兵去则共来，往复蹂躏，民不聊生，据云居民之怕兵更甚于怕共。民间甚至有“情愿红军杀，不愿军队扎”之歌谣，（惟此系指一部分之军队，并非一概抹煞。）呜呼！中国大病之源胥在于斯，倭寇其外感耳。

（二十一年二月十二日）

# 民族异彩

韬奋吾兄：前函甫发，沪战已启，东北之血泪未干，黄浦之惨痛又至，仇贼阴狠，狂暴已极，幸我十九路铁血男儿，牺牲头颅，以彰正义，连战皆捷，岛贼丧胆，为国家增光荣，为民族放异彩，宜乎全国爱敬，欢呼若狂。弟之宣传工作，无形中亦增添了许多气力。

二月十三日来安庆，此地街市虽旧，民气尚新，弟借民众教育馆讲演过五次，每次听众千余人，皆鹄立而待，秩序极好。（该馆仅能容四五百人，因人数过多，将门壁打开，民众站在院中听讲，民气之盛，于斯可见。）据云，民众所以如此热心国事者，因为办社会教育之陈高二君颇能尽责所致。安庆图书馆规模颇大，自馆长陈东原君莅馆后，力加整顿，颇有起色，每日阅览图书者多至千余人。民众教育馆馆长高仲膺君亦颇有治事能力，此馆规模虽不大，而标本之陈列，画图之展览，均甚雅洁精致，民众日来游览者亦数百人，此外各关尚有分馆四处，惜乎二馆均限于经费，致陈高二君之本能未得尽量的发展。

安庆学校教育如何，不得其详，因战事影响，款项困难，中学以上均未开学。据个中人云，款项亦非绝对困难，只需五万圆各校即可勉强开学，某督办鸦片公卖，复设种种特捐，月入曷止百万，所不能开学者，直视教育为无用耳。据闻某督办任山东主席时，曾招两团土匪，本是他的禁卫军，硬名之曰山东省防警备旅，经费要由山东老百姓负担，及至他第二次来皖，他这两团匪兵又随娘改嫁，便作为安徽的省防警备旅了。每月开支即须卅多万圆，这卅多万圆的冤钱又得出在安徽的老百姓身上！

安庆工作后即来芜湖，弟以为芜湖系通商口岸，一切或较安庆为佳，殊不知街市之污秽，政治之腐败，较安庆为尤甚。只听说鸦片风行，大兵蛮横，领袖贪污，此外别无特色。至于杂街小巷，道路凸凹不平，行人任意便溺，那种肮脏龌龊的状态，颇足以代表我国黑暗社会的写真。

总之弟此次历游十余城，时经三阅月，满意事少，伤心事多，推其原因，一由于教育不发达；二由于教育不适用。民众知识几等于零。东北事起，大家只希望马占山收复失地；上海事起，大家又只希望十九路军捣毁 × 都，弟以为对 × 作战，须全国共同起来作积极的奋斗。

（廿一年二月廿八日）

# 长江各省鸟瞰

长江之游，昨已竣事，计此次行经五省，逗遛十城，费了三个月的时间，作过六十次的讲演，在民众方面所得印象如何，我固不得而知，在我之所得者，为官多贪污，民多堕落，城镇则烟赌流行，乡间则农村破产，曾以沿途观察所及，略告读者，兹请再作鸟瞰，述其概况。

军队　吾国岁入百分之八十都消耗于军费，以此巨额的军费，应养成几十万或几百万的精兵，备为国用，而实际则不然。中国军队多变成个人的私产，兵士只知有官长，不知有国家，毫无知识，毫无训练，故穷凶极恶，惟我犹尊，民众稍一触犯，轻则饱以老拳，重则擅行拘捕。我每在入境检查时，已备尝他们的威风。这种军队仍是传统的升官发财思想，焉知有国？更安知有民？闻十九路军于作战时期，犹肯将其给养分给灾民食用，惟卫国的军士方知爱民，亦惟爱民的军士方能卫国。

政治　沿江各省，除湖南一省稍知注重一点新政外，其他各省政治可统称之曰一塌糊涂。川中各地为军人割据，鸦片流行，苛税杂出，一切政令皆操在几个军人之手，自无系统之可言。军阀当道每需一笔费用，皆临时随意召集县长局长或各法团设法摊派，布告周知（这种布告，我屡在街上看见）。既无预算，又无稽核，任意剥削，谁能顾问？武汉虽在中央统治之下，烟赌公开，匪患满境，民众啼饥号寒，栖身无所，官府酣歌宴舞，夜以继日。赣省政弊更深，尤多土劣，省主席熊式辉新握政柄，虽似有意刷新，乃半省以上为共党所占，捉襟见肘，经费无着。皖省某督办则贪婪性成，沉溺烟赌，匪徒跋扈，鱼肉乡民，彼在皖主政多年，治绩上非但无进步之可言，近更在皖北一带迫种鸦片，皖省民众恨之刺骨，最短期内本欲驱逐出省，乃倭奴肆虐，侵及沪滨，为彼造下恋栈的机会。

教育　吾国整个的教育，本已不适国情，不切实用，而沿江各省更故步自封，形同虚设。曾记在重庆时到一个陶业专门学校讲演，学生年长的有卅二三岁者，年幼的有十四五岁者，虽曰闻道有先后，术业有专攻，而一级中年龄之差应不至若是之甚。更可笑者，学校路旁即有一个陶业工厂，据该厂中人云，陶校学生从未到过该厂参观一次，该厂固腐败不堪，无何参观的价值，然而该校所教何课，诚令人不解。此种学生卒业后，无论不敢望其致力于社会，即自身生活问题，亦恐难于解决。学生之罪呢，抑教育之罪呢？湘鄂两省教育虽较发达，近年以来，因愤激时事而误入歧途，无辜牺牲者不知多少。江西因经费支绌，教育更谈不到一点进步。安徽为兵匪烟之世界，乌烟瘴气，亦找不出一线曙光。尤为痛心者，各省之服务于教育界人员，多自甘堕落，与世浮沉，下课时一榻横陈，吞云吐雾，晚饭后雀战达旦，赌兴奇浓。甚或任校长者将办公费挪作薪俸开支，当庶务的将修缮费装入荷包袋里，此种寡廉鲜耻虚伪骗人的教育，与国何益？与世何补？无怪乎学校多一个卒业的学生，社会即添一个失业的分子。

社会情形　基于以上之虚伪教育，贪污政治，野蛮军人，遂形成一个麻木不仁无是无非的恶浊社会。商业专以骗人为能，工业专以偷工为巧，道德破产，信用扫地。鸦片本为举世禁绝之毒物，而豪官巨室，偏以此为待客之上品，贪污本为人类厌恶嫉视之罪名，而办厘金收捐税者，反以能刮几十百万为能事。以是为非，以恶为善，且有“纱帽底下无穷汉”“好汉不赚有数钱”种种格言，以为之助。法律所以制奸宄也，而最后的判决要视贿赂之多寡而定。新闻所以彰善恶也，而无根的纪载专以势力之大小为凭。在此万恶的社会中，要用极详密的定性化学来分析，恐怕每个人的血液中间都有几分贪污的色彩，或烟赌的臭味，又希怪乎青年有为的学子，一入社会中，即变成个龌龊卑鄙的流氓，即或有少数得天独厚，抱道自高者，亦不免曲高和寡，与世隔绝，其如此万恶社会何！

乡村状况　城镇中人多非生产分子，其贪污或剥削的把戏又皆取偿于乡农，而此靠天吃饭的大多数农民，仍沿习其数千百年以来耕田之旧法，既不知种子之选择，又不知农具之改良，一遇风雨虫灾，只有跪到菩萨面前叩响头，求神佑。据昆虫学家云：一棵稻根内的螟虫，转年产卵三次，即可变为八万八千七百二十五个，每个螟虫可食稻五茎，故一虫不除，转年即有减收六石七斗稻量的危险。这种科学的常识，农民又那里想到，然而苛捐的催迫，土劣的盘剥，依然如故，可怜的乡愚，虽卖妻鬻子，终难填他们种种的欲壑，故壮者散于四方，老幼转于沟壑，而乡村之产破矣！

党 “党权高于一切”，我不宜将党列在最后（此处当然指公开的握政权的国民党），然而党之任务领导民众也，整饬纪纲也，改造社会也，以上所述官吏之贪污，社会之腐败，乡村之破产，原皆有赖于党之加以铲除，或纠正，或维持，而实际上党之昭示于吾人者为何，一言以蔽之曰更贪污更腐败更破产。我历游各省，见党部巍巍，党权赫赫，稽其工作，除贴贴标语，喊喊口号，再放几声空炮外，别无所得，其中忠贞刚正之士亦非无有，然多数实与军阀官僚联合一气，烟赌奉行，贪污常事，天天骂官僚而己则已成特等官僚，口口谈土劣而己则已成变态土劣，甚或勾通警察，狼狈为奸，利用报馆，敲诈成事，国难期中，竟至丧心病狂，由 × 货抽出之款，平均分赃者有之，假扣货为名向商人索贿者有之，丑态百出，原形毕露，设系总理在天有灵，必痛哭流涕，悲愤填膺，可断言也！

以上所谈各节，或根据我所亲见之事实，或为采诸正确之舆论，皆非出于凭空捏造或任意笑骂，且以我之拙笔，尚有不能形容其万一者。长江各省如是，全国各省之能善于此者几何，殊不敢言。社会之腐败若此，乡村之贫困若彼，中产者集于城镇，大产者集于商埠，生产日少，消费日多，环视左右，无一非舶来品，此种情况，即或倭寇不来，长此下去，能不步入亡国之途吗？我本实际观察所得，心所谓危，不敢不忠实报告国人，愚意以为无谓消极，于事无裨，讳疾忌医，为患愈大，我们对实际状况应有深切的认识，力谋根本的补救。补救之策略固千头万绪，其要点莫过于联络组织纯洁同志，从政治改革入手。

（二十一年三月八日，到沪行装甫卸）

# 抵汕后

韬奋吾兄：沪上匆匆握别，想念为劳。今将抵汕后经过情形，杂陈于下。

汕头为广东重要商埠，南通南洋，北达淞沪，商务发达，帆轮云集，由沪赴香港赴广州者必经之区，实南北交通之孔道也。

市中人口十七万许，商户八千余家。多半营出入口事业。出口之大宗首推抽纱，年达五百余万圆；次为瓷器，年达二三百万圆不等。抽纱纯系女子的手细工，即棉纱或麻纱抽成种种之花纹，用以敷桌或作物垫之用，欧美女士极爱用之，故有许多西商专作此种营业，运售于彼邦，汕头左近之妇女几乎人手一方，成为家庭中之重要生产事业。

瓷器之产地为枫溪与高陂。枫溪距汕头约七十余里，交通有潮汕铁路。瓷质粗松，耐火度不高，多系陶器，年产多在百万圆左右。高陂距汕头约二百二十里许，交通赖韩江之便。瓷质细密，耐火度甚高，最佳品可比江西之景德镇产品，年产约在二百万圆左右。两者重要之销场全在南洋，惜乎作法守旧，式样粗劣，近为倭邻大宗之机械品所压倒。范其务君此次邀弟来汕，正谋改良此业，详情容当续陈。

汕头气候虽较上海为热，然夏令多雨，且忽雨忽晴，阴云蔽日，凉风四起，并无溽暑之苦。汕人无论男女老幼，多短服，跣足，着木履，行声嗒嗒，颇有岛国风味。市中有中山公园，系民国十五年范君在汕任市长时所建设。园中有假山真水，花坛竹木，布置极为雅洁，全园系半湖半陆，湖中小船荡漾，出没于假山之间，颇有小西湖之概。陆地设有足球场，篮球场，手球场，及天桥木马等物，专供市民运动之需。惜乎市民无此清福，尽为穿灰服戴圆帽者所专用。弟在沪时闻十九路军多系粤人，以为粤地军队多类十九路军者，初不料今至粤地所遇粤军，亦是嘈杂颟顸，蛮横无理，与长江一带所遇之匪军并无大异，可见军队无关乎十九十八，军人无论其为闽为粤，全在为长官者是否作人及有无整军之方而已。弟在沪时语兄一切问题皆系乎“人”之一说，至是愈信。

汕市每岁出口货约值二千五百万圆，入口货约值六千万圆，此溢出之数，全赖华侨每岁汇款以补偿之。华侨汇款最多时每岁可入四千八百余万圆，近以南洋事业不振，华侨多无生机，故去岁汇款仅在三千三百万圆左右。国人自外患发生以来，倡捐款者动以华侨为金城，为天府，殊不知全世界金融不振，到处闹着不景气的呼声，华侨之失业被逼归国者正络绎于途，个中苦况，殊非外人所能及料。不过华侨身处异邦，弱国民之滋味备尝深受，故爱国心特强，一闻对外御侮，皆愿倾囊相助耳。

粤胞心灵手巧，性坚忍，尤富于冒险，观于制造品之敏速及航游遍世界二事，可以证之。惟赌兴豪勃，到处表现，旅馆中牌声震耳，夜以继日，是则吾国各处旅舍特有之现象，固无论矣，漫游街中见有高悬牌匾，上书“山铺票”及“山铺新票”等字样。弟初以为山西票庄之意，乃详视室中，战士数人，或数十人，环聚一案，大赌特赌，毫无羞涩避忌之态，是弟又开一新眼界矣！夫赌者无行，常人之所深忌，虽市井无赖，犹于夤夜中为之，恐为人所卑视也，今乃明目张胆，玩时废日，胜者长侥幸之心，败者生盗窃之念，因赌为盗，因盗为匪，政府徒因贪捐税，不惜利用人民弱点，出此流氓下策，虽曰粤人好赌，万恶的政府实不能不尸其咎。

弟在汕头住三日，蒙商会陈主席及各委员竭诚招待，殊感不安，惟此地请客习惯虽明定晚七时宴会，直至十点而客尚未齐，入座须在十时半，散席即将十二时矣。吾国到处宴会多不严守时间，然时间之长，犹或不至若是其甚。国人对于忽视时间一事极当力改，然每处非有三五同志抱定决心，牺牲物议，胜不足以改此恶习也。宴会时享用之酒菜亦觉过于豪奢，是则中国到处皆然，非仅汕头一隅。际此内忧外患民穷财尽之时，一切享用均应力持紧缩，看似甚小，所关甚大，且小处不能改革，大处更无庸问矣。

本月八日赴枫溪考察瓷业，乘潮汕铁路，越一时半即至。潮汕铁路纯为商办，内部虽不十分完备，然能准时开车，准时抵站，已属难得。车分头二三等。三等皆普通乘客，买票登车，毫无揩油，二等则买票者与不买票者参半，且多有以三等票乘二等车者，查票员检票时，亦不敢深予追问，盖恐其背后皆有枪阶级，动辄饷以“耳光”之答礼！头等多系灰色的朋友，手持长枪，足登革履，大声喧嚷，怒目横眉，一若非如此不足以表示出彼等之虎威也者。须有较高之长官同来时，则此辈方肯减格入坐于二等中。至枫溪，详查瓷器制法，仍是几百年前之旧式，以牛蹄蹈土，以老妇臼泥，惟轳辘昔用木制，今改洋灰，昔用手转，今改足登，制造之速，实远出于江西湖南工人之上，是即粤工心灵手巧处。但样式古老，不适于用，是则无人能为改弦更张者。至于窑长费火，种种消失，较诸以机械制造以科学管理者更不可同日而语也。

同来黄君询以敝处制法如何，弟告以种种不同处，黄君叹曰:“吾国瓷业落后一至于此！君当速为改良！”弟答曰:“吾国岂但瓷业落后，万事无不落后；岂止瓷业应速改良，万事无不急待改良。民元以来，国内之伟人要人多矣，天天呼革新，事事要改良，试静眼一观，除了他们那片嘴和枝笔随着潮流革革新，再有他们那身服装和那所住宅跟着时代改改良外，所谓政治也，经济也，教育也，实业也，交通也，在那一件事实上你能找出一点革新或改良来呢？”

枫溪视察后越一日赴潮州，即韩文公被贬之地，道途整齐，商贾林立，远非韩公贬谪时代所可比拟。韩公之古迹甚多，惜事忙不及细览。由潮州改乘小火轮渡韩江，历二十小时而至高陂。此地为瓷业之中心，瓷店一百二十余家，瓷户两千余户，环绕于五六十里范围之内，工人三四万人，直接间接赖此以求食者不下四十万众，瓷业与地方关系之重要概可知矣！制法与枫溪同，特以瓷质优良，卖价较高，然近以南洋商业凋敝，外瓷充斥，价值日就低廉，益以瓷户素无积蓄，所需经费多贷自瓷店，而瓷店又转贷自外商，辗转盘剥，利息殊大，此亦瓷业不振之一大原因也。改良办法，须由制造与经济两方入手，弟已拟定一种意见，俟晤范君时彻底商讨，再策进行。

高陂住二日，黄君将归里。邀弟同行。黄家距高陂三十里许，概为山路，弟为考察乡间风俗起见，好奇心起，相偕入山，费半日工夫，已平安达目的地。粤俗族人远归时，举族出外欢迎，并燃爆竹，以示贺意。先一日黄君族人有由高陂归者，故黄君将达里门时，已有许多男女老幼欢候于途，相见各道慰问。弟虽不通粤语，察其神气，大概是几时起程呀？途中平安哪？天气不热呀？种种的语句。将入门爆竹大响，声动天地，此时黄君的心里固有说不出来的一种愉快，可是我这个可怜虫，无省无家，无父无母，听得爆竹声，好像东北的大炮放在我的眼前，此中是乐是悲，我到现在还说不出来！

入室后，人声嘈杂，群来慰问，老人家并不知我是那一省的人士，也要来寒暄几句，这时的黄君，多方应付，顾不了我这个会说话的哑吧，于是我便大受其窘，只得一方点首，一方摇头，诺诺否否，乱答一阵。因为我若一味的点首吧，又怕人家向你说“我们这乡下敝陋呀，房屋窄隘呀”等一类的话。我若一味的摇头吧，又怕人家问你“是步行来的吗？今天由高陂动身吗？”等一类的话。所以只得用骑墙两可的式子，应付了事。

此地纯为粤省的乡下，无论男女老幼，无不勤苦工作，尤以女子为最。女子的体格都特别健壮，终年赤足，在外劳动，有时远行，佐以草履，其大部工作即向高陂挑瓷，因此地多山，运输殊感不便，所有瓷器均赖挑夫挑妇运转之。妇女除挑瓷外，复作耕田采樵喂猪养鸡及织布等事。总之终年勤苦，无一日游闲，假如生在苏俄的新国家，皆为五年计划的健将，较之名都大邑，小姐太太们日以涂脂抹粉专事争妍取怜为能事者，其相去为何如？至与吸鸦片习跳舞专事无味消耗者相较量，其功过更不可以道里计矣，然消费者安逸如彼，勤勉者劳苦如此，宁得谓平？大政治家如能打破现状，缩短距离，勤勉者予以文化之享受，安逸者得有锻炼之机会，各尽其长，各适其用，吾知涂脂抹粉者流，亦不愿终为人间之玩品，然则中国政治之急待改革，又与高陂之瓷业有何区别？

（二十一年六月十七日）

# 残 羹

韬奋吾兄：前函计达，现将弟抵港后见闻略述奉闻。

香港形式斜长，山水环抱，水绿山青，状极秀美。昔属我国时不过一捕鱼荒岛耳，自英帝国主义者割据后，悉心筹划，竭力经营，今竟成此繁华美丽之都市。港内楼房整齐，路平如镜。市中商业尽属华人，西人则多寓于风清气爽之山上，阶级之分，一望了然。且华商亦皆为洋商之代办所，绝少有自制之工艺品销售于外者。商人稍获蝇头之利，便洋洋自得，殊不知皆辗转乞食于帝国主义之下，人食鱼肉，吾分残羹，又何骄矜之足云？

国商最大之营业即为饮食店，粤名曰“酒家”，五步一楼，十步一阁，灯壁辉煌，建筑雄丽。友人雷君邀弟就食某酒家，人声喧嚷，客座无余，至五楼后始得一空室。弟方惊此楼之大，为北方所无，而雷君示弟曰："此为港埠最小之酒家，其数大者且较此为倍蓰。"吾国百年来物质凋零，文化落后，独饮食一道为东西洋所不及，无怪乎侨居于欧美各邦者，多营此业以致富。

港侨醉心欧化，喜用洋装，妇女为尤甚，中多袒臂露胸，浓眉高履，所恨化学家未能巧夺天工，换得两只碧眼球，披上一头金丝发，较更彻底！男子之较为阔绰者，每日时间除消费于五餐外（粤俗每日三次茶点，两次正餐），即借打麻雀与吸鸦片二事以为消遣。弟寓为皇后旅馆，馆中烟气四溢，牌声震耳，固已司空见惯矣，而对过为大中国酒家，此种"酒家"中烟赌的设备极全，每日午后一二时，即见有面团团而腹便便者，环坐各室，大打特打，非至翌晨五六时不肯停战。中间或吸烟，或食物，或唤歌童，或戏舞女，彼等殆不觉中国今日有何可忧，有何国难！

十年前华府会议时，有某督办之子假乃父之势，亦备位素餐，随员西渡，归来时弟询以游美之印象如何，某公子率尔而对曰："各国文明无出中国之右者。美国之优点不过其楼房大，汽车多，但人无差等，事事躬操，孰若吾国呼奴唤婢，有主仆尊卑之别？吾国不要再学欧美了，若再学欧美，吾辈之幸福尽矣！”语毕，弟几不知斯人为何物！专顾个人享乐而置一切于不顾者，固不自知其自掘坟墓，终有一日上断头台也！

港埠 × 人之势力甚微，人数亦无多，“九·一八事变”初起，港侨中之激于爱国心者，路遇 × 人，辄致之死地，由是而被害者甚众。港政府大肆威风，到处查拿，并禁止排 × 言论。

昨日蔡军长由沪来港，港人热烈欢迎。有个人亲友，有团体代表，有来自广州者，有来自福建者，执国旗，喊口号，万人空巷，群来争仰。弟因范其务君与蔡同来，好奇心起，亦参与欢迎盛会，船抵岸前，由中西警捕特别戒严，非有特别符号者不得近岸。弟借十九路军同人之便，未受阻拦，蔡君抵岸时，万众高呼，掌声如雷，印度黑捕亦大献殷勤，两者导前，两者拥后。蔡军长于万众欢呼频频点首中，改轮登岸矣。市内遍悬国旗以示欢迎，新闻界复于所登蔡军长相片头上大书特书“民族英雄”四字，蔡氏血战抗 ×，为民族稍留正气，固应享受民众欢迎，而大雨淋漓（是日大雨），鹄候半日，喝采声嘶，驱车履落，亦大可表现民众爱戴民族英雄之心理。同为国军，何以有祈天祷地，驱之惟恐不去者；何以有箪食壶浆迎之惟恐不来者，彼拥兵自私之辈，至此亦当有所悟矣。

蔡君去后，范君始下船相见，握手道歉，询以调查经过，弟当将高陂瓷业现状及如何改良详为陈述，范君极满意，嘱弟计划一新式工厂，彼筹备资金六十万圆，令弟负责作去，弟已允为计划一切；但能否南来参与实地工作，须视沪厂之能否实现而定。弟离沪时，沪友多人亦拟办一新式瓷厂，如沪厂决意创办时，弟将为范君另觅妥人照料一切。盖华中瓷器之需要，尤过于华南也。弟明日去广州，小住一周，再转福建，余容续陈。

（二十一年六月二十九日）

# 包　办

韬奋吾兄：在港一信寄上后，晚十时即登轮来广州。轮内安睡一夜，翌晨六时船将抵岸时，睡眼朦胧，隔窗远眺，见两岸楼红树绿，草嫩花鲜，刹那间心旷神怡，宠辱皆忘，以为晋之桃源不过是也，转念倭寇在前，疮痍满目，东北之失地未复，各处之灾胞待哺，虽临玉宇，胡以为欢？满天兴致，一时顿减，遂急整行装准备上陆。

广州建筑宏大，道路平坦，虽整洁不如香港，而雄伟过之，在国人自办之市政中，或当首屈一指焉。所惜者满街商品，十九舶来，完全自制之国货，虽遍觅而不可多睹。粤人本多侨居外邦，购用洋货，习以为常，女人家酷爱装饰，消费尤甚。粤谚有云“只怕跌落水，不怕火烧屋”，实为妇女虚荣心之写照。近以外患迭乘，民生凋敝，有识之士，亦渐知注重于提倡国货一途，然兹事体大，进行维艰，绝非最短时期所能望有成效，只求言论机关与社会领袖热心提倡，大力宣传，则觉悟之分子日多，而外货之销路日减，九仞高山，始于一篑，深望有志粤胞鼓舞精神，向前猛进。

粤人性爽直，有胆略，到处经商，纯恃个人的冒险精神，政府无与焉。即省中各种公益事业，亦多赖其自治之力，政府无闻也。政府只知敛财养兵，造私人势力，一切政治均采包办主义。赌捐包办，烟捐包办，所有统捐税捐，无一而不包办，养成一般不耕而食不织而衣专以剥削拷诈为能事的浮荡废物！国家大患，孰甚于此！然此属于税收方面，政府一时需财孔亟，不暇自办，包诸商民，犹可说也，乃官营实业亦包之于人。（广东无何较大的实业，只政府前后拟办两水泥厂，前者已包于商民，因规模狭小，出货不佳，已濒失败，后者规模较大，机械较新，现正待价而包之。）官营电车亦包之于人。按包办事业应顾到双方利益，乃政府既不能自办，而又定出种种苛刻条件，欲将一切利益统归于己。所谓“又要驴子好，又要驴子不吃草”，商民不胜其苛，竟中途停办，故电车铁轨虽已铺了数年，而电车本身迄未与市民见过一面!

据金融界某友云，政府以堂堂的造币权，亦招商包办。粤省普通辅币向用两毛的小银子，粤名曰“毫子”，此种毫子计分三种：曰原新，曰拣新，曰黑毫。原新成色最佳，拣新次之，然尚可用，至黑毫则成色过劣，到处拒用。每日为此事而引起纠纷者不知凡几，外来人因此而吃苦头的更多。所以然者，即因政府将造币事包于奸商，奸商以表面上无利可图，乃偷工减料，假政府势力以欺骗民众，故明定每个毫银应有纯银七分，而实际上不过五分五耳，颜色既黑，声音又哑，一望而知其成分不足，然事关国币，那个小百姓又敢绳以是非而辨真伪?

粤省纸币权几为香港纸币所侵占，据云广东省银行（即前中央银行）所出纸币不过四千万圆：行使迟滞，流行不广，虽不至被人拒用，而远不如香港纸币之饱受欢迎。其原因在不能充分的兑现，及银行中种种腐败恶习所致。香港政府联合汇丰有利及楂打三大银行，共出纸币九千余万圆。计汇丰六千万，楂打两千万，有利千万许，密切联合，真实兑现，除在香港一隅仅用三千万纸币外，其余流行广州，汕头，江门，海口，以及广西之梧州各处。洋大人的洋货输入中国，换得血汗的金钱以去，已使吾人惊心动魄，寝馈弗安，今竟以金融实力入主中原，数十年后，真不知死所矣！吾辈赤手空拳的小百姓天天喊着打倒帝国主义，而不知政府当局正鞠躬尽瘁，为帝国主义者营巢穴，造机会，方延入之不暇！

广州之工业实属落后。据所调查者，仅有一商办的宁水布厂，既官营而尚待包办的水泥厂，规模较大，组织较新，此外则几无所有。所以东西洋卒业归国者，苦无用武之地，都跑到军政教三界上去抢饭吃。但僧多粥少，饭碗不足分配，于是树起什么留东学会，留美学会的壁垒来，以相对抗。譬如某一机关或某一学校，其首领若是一位留东的，则以下的员司都变成清一色的留东的。其首领若换一位留美的，则这班留东的员司就得溜之大吉，退避三舍，均换成清一色的留美的。据云美日两国之留学生最多，故旗帜亦特别鲜明，而英法德比诸国留学较少，不能独立成军，便附属于留美的旗帜之下以谋发展。与弟同学而又同科前后卒业者，亦有十余人，彼等或在铁路局当庶务，或在财政厅充科员，大多数则在中大或工专担任教职，中有一位走头无路，道大莫容，竟挂出会计师的招牌，作一名冒牌的会计师！尚有一位租赁几间房子，办一个日语学校，专教日语。闻此日语学校学生甚多，买卖颇不错，但自“九·一八事变”发生，市民排日，有如海潮之汹涌，于是此日语学校，亦与日货同一命运，住在对门之几个汽车夫，犹变本加厉，打破校牌，捣毁教室，现在彼亦正在打算迁都！

粤省最高学府殆推中山大学，内容如何，惜在假期，未得一窥。据云经费尚比较充足，学潮尚比较稀少，学生亦比较肯用功研究学问。昨偕友人乘车游白云山，见有广大苗圃，松树丛生，遍山皆是。询之得悉为中大农科模范造林厂，已有五年之成绩，技师系德国人，是则南来第一快心事，百无聊赖之中，尚得见我国一点生产事业。因念粤省气候和暖，人烟稠密，侨居于各国者每岁皆有巨款汇入，政府若能提携有方，凡百事业，皆可成就。就退一步言，政府纵不提携，而不加以摧残，以粤人之勇敢，之毅力，从事生产，工业已早当发达，乃数十年来，兵戈迭兴，扰攘不已，政府极尽搜括聚敛之能事，非以粤胞之富力，恐已早成涸辙之鱼矣。最近粤军阀犹复阴霾密布，遣将调兵，玩其内乱之老把戏。无论未来事业不敢望其发端，即已有之经费尚时时有停发之虞，殃民祸国，丧心病狂，若辈之肉，诚不堪食矣！

（二十一年七月四日）

# 鬼多人少

韬奋吾兄：广州游毕，觉该省目前政治的措施，与工业的落伍，虽极令人愤慨，然广东之财富，及粤人之勇敢，究为复兴中国有望之乡。广州去后，拟赴中山县一观其模范县的成绩，途经澳门，遂于七月四日起程来澳矣。

弟等于四日午后四时由广州登轮，抵澳时已午夜十二时半矣。途中观景看书，颇感疲之，以为夜深人静，入旅舍可恢复一日之劳，不料一至市中，电火辉煌，如同白昼，人声沸腾，如临大敌，急前视之，则见有银牌，有抽彩，有轮盘，有牌九，沿门逐户，花样百出，至麻雀扑克之类，不过家常便饭而已。旅舍为中央酒店，共七楼，亦极煊赫，将入门，则见烟云缭绕，异味触鼻，芙蓉城之放气也；莺歌燕舞，丝竹杂作，花国王之献技也；复闻乒乓乱响，怪声狂叫，则赌国志士们方聚精会神，遣兵调将，与敌方作背城战。游客至此，颇不寂寞，然欲清睡，则实难矣！

弟在沪时，常以沪上为烟赌娼之渊薮，蔓延于各地，而不知彼等之老鼻祖乃发源于澳门，沪地烟赌娼虽盛，居其地者尚有半数以上之良民，且在“九·一八”之后，著名之一百八十一号反停止其烟赌营业，而作地方维持会之大本营。今澳门所住之人，全以三者为中心，无三者则无澳门之市场矣。葡当局贪餮为心，豺狼成性，曷惜剥异族的血汗，裕自己的荷包，所可异者，不事生产，不营正业，甘心堕落，任人剥削者之何其多耳！

吾国号称地大物博，气候又佳，何以屡败于外寇而不能振拔，其故无他，鬼多而人少耳！今夫面黄肌瘦，骨立形消者，烟鬼也；俾昼作夜，尔诈我虞者，赌鬼也；醉情声歌，迷恋颜色者，色鬼也；与夫上蚀国本，下苦民众，政鬼也；专卖仇货，忘怀祖国，商鬼也；敷衍苟且，误人子弟，教鬼也！鬼众日多，鬼势愈大，当今之时，求一赤诚为国，身体力行者，殊不多见，天下滔滔，举目皆鬼，又奚怪乎民族不振！国仇难复？

中山县城原在石岐。民国十九年移居于唐家湾，二者皆在澳门之东南乡，乘汽车一时许可至唐家湾，二时半可至石岐。唐家湾者，即唐少川氏之故居也。地临海港，风平水静；实通商之良港。县城移居于此者，政府拟经营该港对外通商，以与澳门及香港抗，故改名曰中山港。

中山港因县城迁来未久，无何建设之可言。独附近有唐少川之花园，经营十余载颇有可观，该园名曰共乐园，而实则处处写着游客止步，弟等假装阿木林，勇往直进，遍览无余。幸时间尚早；天小雨，未为居停所窥见。园内真山真水，布置咸宜，奇花异木，亦栽种有序；中复置网球场，天桥，荡木为小儿运动之备，盖唐君之家寓居焉。此园地势极高，远望无际，举目四瞩，山海如在足下，实为一良好之消遣地。园前有汪院长石镌对联，上联是“十年树木，百年树人”；下联是“智者乐水，仁者乐山”。吾国变乱数十年，人民颠沛流离，几无死所，而阔人养尊处优，仍不亚于外族，令人不胜天堂地狱之感。

中山县最著之成绩厥为公路之修整，凡较大城镇或乡村，无不通以公路，其公路之平坦宽大，比诸京杭路尤佳。全县海山环绕，景致宜人，山不甚高，若断若续，绵亘于各地，极宜造林，现已着手进行矣。海水蜿蜒内地，便利交通，航船往来如织。由唐家湾往石岐，途经翠亨村，即孙中山先生之故居也。村庄甚小，居户无多，孙宅在村之西端，楼二层，半西半中式，楼旁有手植纪念树数株。今已成为古迹，村之四围景物甚好，盖三面环山，西部近海，中则一大平原，饶山水之利，适种植之宜，交通且极发达，实乡居之妙地也。粤政府出三十万基金，在村东山下建总理纪念学校，现正在建筑中。

县人多侨商于海外，就各村之建筑物观之，知其财富之力，为他县所不如。据云台山县侨居于外邦者更多，乡村尤富，惜无充裕时间，未得一往瞻仰。石岐系县城旧址，建筑宽大，马路整齐，商店栉比，百货杂陈，几如北方一大都会，县民之购买力可知也。乡间农妇亦操作各业，然工作之从容，服饰之整洁，远非高陂之妇女所可比拟。以上所论各点，纯就表面观察，究之有何新政堪称模范，惜无相当指导者，则不知其详矣。

（二十一年七月七日）

## 渐入佳境

韬奋吾兄：澳门中山去后，复返香港，由香港乘船又来梧州。船行凡二日，沿途风景极佳，中经广东之三水高要各县。梧州者，广西最大之商埠，亦全省之门户也。广西地瘠民贫，全省岁收不及广东十分之三，故出口货物除米及桐油之外，寥寥无几。然桂省当局殷殷图治之心，远过于粤。据同来黄君云，彼于民国十二年来游时，商店不整，马路未修，处处表现其贫苦状态，今则楼房栉比，灯壁辉煌，二十五条之平坦马路，于此数年间亦逐渐修成矣。现更计划一六十万圆之自来水事业，因财政艰窘，亦逐段进行。官办之电灯厂，近以市民增多，电力不敷分配，今又撙节经费，购一新机，总之桂省处处感触财力之不足，而处处仍亟谋进步与发展。

粤省因人设官，故当办者而不办（实业寥寥），不当办者而大办（烟赌开放）；桂省则不然，因事择人，力求实际，梧州原有市政府，近为节省经费起见，将市府裁去，所有事务由公安及工程两局负责办理。职员最高薪俸不过一百二十圆，最低者仅二十圆。严禁麻雀及一切无谓应酬，市民有戏麻雀者，罚以七日之拘留，故赌风甚少，但银牌之类，因收税关系，惜一时未能禁绝。

驻防军队纪律极为严明，除剿匪之外，他事绝不干预，故军警冲突欺侮商民等事，未之前闻。偶在街中遇有队伍通过时，见其服装朴整，精神振奋，与向所见之贼兵匪将情形亦迥乎不同。弟之来梧，虽未窥得桂省整个的治绩，然较诸经过各省，满意之事已云不少，总算渐入佳境矣。

此处 × 货虽有，× 人之来此经商者尚少。自“九·一八”事起，全民愤激，彼辈见势不佳，早已狼奔鼠窜而去。各界组有抗 × 会，将所有仇货均陈列于 × 货陈列馆中，以资观览而期禁绝。梧州妇女亦颇俭朴，服国布国绸者甚多，绝少如粤女之赤膊袒胸，喜用洋货者。然其经济力之悬殊，亦自不能同日而语也。

广西大学在梧州对面之北山上，山形错落，可分四五阶段，大学建筑即依山势而配置，上下山路崎曲，花草树木杂于其间，颇为美观。时值学校放假，未得会到该校当局，一探其内容何似（刻仍在建筑中）。然据表面观察，其建筑之堂皇壮丽，亦与其他大学等，国内连年凶灾民穷财匮，而美丽的大学倒出现了不少，最著者如东北大学，西南大学（即武汉大学之新址）。姑无论此种大学人才能否应国家需要，只就其大学本身而论，不急急于图书之收揽，工厂之设备，以及师资之精选，而先造起一个眩神夺目的校舍，奇花异树的庭园，是皆东西洋归国的饭桶博士们，关于各国的学术精华毫无心得，以为吾国只要能建起一个堂皇壮丽的大学来，就可表示物质不退步，文化不落伍，殊不知沐猴而冠，无掩其怪，蠢妇涂粉，愈显其丑。外人之觇国势者又奚在乎此，然而数千来自田间之学生，一见此伟大的校舍，美丽的庭园，则眼界大开，奢念顿起，于是出必有车，食必有鱼，洋式其服，革式其履，盖不如是不足以壮观瞻，恐负校长办学之至意。此种学生犹期其卧薪尝胆，坚苦奋斗，是何异缘木而求鱼？

日本各大学校除东京帝国大学地震后建筑较为辉煌

外，其他多朴实俭约，故学生亦皆破衣敝履，孜孜于学术之研究。吾国学生再不要口头上瞎喊打倒，乱嚷驱除，试问打倒与驱除之实力何在？办教育者更不要徒重外表，忘却实际，亦须看看经济破产，民生凋敝，国家所需要者何在？桂省财政困窘，凡百设施多注重于实际，深愿于教育一途，亦注意及之。

硫酸为化学工业之基本原料，国内倡办此厂者多矣，而卒未能实行，今不料于民穷财困之桂省发现焉。此厂于民国十八年时已建筑完好，开始试验，建设费一百万圆，技师系德人，不意工作未及一周，桂粤失和，大动干戈，闹起把戏来了。此小把戏闹的不要紧，硫酸工厂竟休息了三年。三年之中，机器生锈，炉窑倾颓，楼房漏雨，什物散失，无一而不受其恶影响。幸而闹把戏之当局有如小儿打架，现在又和好如初，于是两省当局会议，合办此厂。盖桂省无款，不得不借重于粤，粤省虽已应允，但口惠而实不至，现在只拨两万现款，正在修理中，修理完竣，即将开工，而开工又需巨款，该工程师急不能待，昨已专程赴粤讨账。此厂规模虽不甚大，而设备尚属完善，据招待员李君云，此厂原料（硫化铁）来自粤省，技术人员亦来自粤省，今经费又须来自粤省，但粤省不能自办，而赖人办之，粤人睹此，作何感想？然而国人习于宴安者久矣，铁路未修有人代吾修之，汽车未造有人代吾造之，荒地未垦，矿产未开，近更有人代吾垦，代吾开之，吾只要有官可作，有饭可吃，享其乐足矣，又何必事事躬自为之？邻省代劳尚无大碍，以此惰性假权他国，不亦危乎？

（廿一年七月十一日）

# 良好印象

韬奋吾兄：梧州游毕，知吾国于此污浊扰攘的环境中，尚有努力谋建设者，于是好奇心动，游兴愈浓，竟涉水登山而来广西之桂林，途中越四日，三日乘轮，一日乘车。此行稍涉危险，盖河流急湍，暗礁复多，轮行而遇难者每岁辄三四起，即此次与弟对面之恒太轮竟触礁而沉没，弟之未死，亦云幸矣。

“桂林山水甲天下”，此为一句古话，此地佳山秀水，形势天成，自来文人骚客多借此为吟风弄月之资，惜弟不文，空负胜景，然借便一览古人之名作，亦觉洗却俗气不少。桂林原系广西之省府，商务繁盛，人烟稠密，自陆荣廷迁府南宁后，百业萧条，生计维艰，马路未修，电话未设，举凡新文化之享受，均付阙如，然朴朴诚诚，度其中古时代之生活，亦自有天然之妙趣。据闻三万圆以上之商店，全城恐未之有，则一切豪奢浪费，无自而生矣。

桂林教育的设施尚称完备，有法专，有高中，有女中，有实小，此外尚有一颇为博大之图书馆，皆设于城之中间皇城内，学生程度虽较外埠稍低，而服装朴整，尚少嚣张之气。男校均受军事训练，尚能实事求是。皇城之北有中山公园，为民众游玩之所，园中凉亭耸阁，花草竹木，无一不备，惜多碎瓦颓垣，荒途残径，纯任天然之变幻，毫无人工之修饰。紫荆山位于园之北部，高数十丈，巍然独立，又名曰独秀峰，亦桂林名胜之一也，每当夕阳西下，园中游人如市，金鼓齐鸣，小卖杂叫，别饶一种风趣。

驻防军队为第七军第十九师，师长周君（祖晃），卒业于保定军官学校，纪律严明，治军有方，军士每日须四时操，一堂课，军官每日须书大字一百，呈部批判，皆所以收敛军心，俾免外务，无论军官军士，若犯烟赌嫖逃四大禁令，立予枪决。据云此系李（宗仁）白（崇禧）两司令所规定者，非特十九师为然，全省军队无不皆然。桂省军人之不扰民，盖有由矣。李白二氏复裁减军队为两军，人数不过三万。节省军费，训练民团，每半年为一期，每期选调二十万人，轮流训练，计划五年后全省可有二百万强悍之民兵，备为国用，枪械发与乡民，俾能自卫。桂省乡间盗匪顿少，是亦一大原因也，且桂省实行军民分治，绝无军长师长保荐行政人员或干涉民政等事。桂省岁收为两千三百万圆，最近经省政府会议议决，军政各用其半，而政费之中以四百万兴建设，以三百万办教育，故桂省虽贫，而教育建设两费尚不为少。据云粤省岁收超过桂省三倍，而建设费不过五十万圆，尚须打折扣，以此例彼，其相差为何如？又桂省军政当局力求澄清吏治，闻南宁有二十二个县长均尝着铁窗的风味，其原因皆由装错荷包，营私肥己。即桂林之前县长亦拘在本城之训政处处内乘风凉，亦是与彼二十二个朋友犯了同样的毛病。

桂省的烟赌尚未绝禁，最大原因，乃由于两千三百万圆之岁收中，烟赌占去一千万。此千万之中，烟税六百五十万圆，赌税三百五十万圆。桂省不许种烟，而六百五十万圆全系云贵两省鸦片之买路捐，每百两抽洋五十圆，则云贵黑货输入于两广者，其数盖可知矣！赌博亦未全部禁绝，仅麻雀一项由本年七月一日起概行禁止，如有违犯者罚以七日之拘留，或令扫街修道，政府现正极力兴办生产事业，如岁入稍丰，则烟赌两项即可逐渐禁绝。

总之，桂省一切设施，虽不能尽满人意，然其事事公开，精诚团结，整躬率物，嫉恶如仇，实予国人良好之印象。

（廿一年七月十八日）

# 精神振奋

韬奋吾兄：桂林原拟住三日即来柳州，嗣遇十九师秘书林仰文君，系留日同学，因多住一日，借询桂省种种情形。由林君介见该师师长周敬生君，参谋长郑苓生君，及处长团长多人，皆忠诚俭朴实心任事之士。郑参谋长且系《生活》之热心读者，据云从初刊以至现在，未曾脱落一期，对兄极致钦慕之忱。周郑诸君以弟远道来此，恳切慰留，并令为全体官兵演讲，弟鉴于机缘之巧，又感于招待之诚，遂勉承盛意，又多住了两日。

前日来柳州，车行十二时始至。此次桂游，身体虽稍痛苦，而精神确极振奋。柳州者，系柳宗元旧游之地，祠堂坟墓宛然俱在，后人为景仰先贤永志不忘计，故州以柳名。此地水清山秀，擅舟车之便，虽无桂林之古老博大，而街道齐整，建筑维新，颇呈活跃之气象。第七军廖军长驻节于此，弟等来柳之前，早由十九师以电报为之介绍，故下车伊始，廖军长即派秘书谢君伴游名胜及参观各工厂，晚间复设宴款待，并召集全军官长，令弟讲演东北各项情形。

桂当局定南宁为政治区，桂林为文化区，梧州为商业区，柳州为工业区，故工厂建设多集于此。最著者为酒精厂，机器厂，及水泥厂。酒精厂创于民国十七年，主其事者为张君季熙，卒业于德国酵业学校，桂省自公路通车后，每岁火油之消费甚巨，当局鉴于漏卮之大，为避免损失计，拟造酒精以代替之，因该省产红白薯玉蜀黍甘蔗等物，皆为酒精之良好原料。若用红白薯及玉蜀黍作原料时，制酒所余之糟，且可养猪数千头。张君以二十万圆之资金作一完善之计划，每日可出酒精一千五百斤，不意工厂建成，机器按装甫毕，而桂粤失和，战乱斯起，因而停顿三年。近方整理就绪，虽未正式开工，而酒精已起始制造矣。机器厂原拟制造飞机，定资金为二百万圆，惜建设未待完成，亦为战事所阻，近虽开始工作，因经费不充，范围缩小，专为修理枪炮及添制零件之用，该厂主任外出，内容惜不得其详。水泥厂亦在战前计划者，现只建筑空存，烟突高立。以经费无着，尚未开始整顿，内战之害大矣哉！

除上三大工厂之外，桂省更注意于农事试验。柳州之东南有农林试验厂，于民国十六年即开始试办，主其事者为杨君士钊，卒业于北大农学院，厂基四千亩，规模宏大，设备完全，有图书馆，有化学室，有标本陈列所，购备美国之播种机刈草机及收获机等等。厂中拟办森林、农艺、园艺、牧畜、兽医、病虫害，及化验各事。民国十八年时职员数近百人，常年经费八十余万圆。桂省关于建设事业，可谓不惜巨资矣，乃自两广战起，此厂亦无形停顿。由去岁十月始着手整理，现虽未复旧观，大致已经就绪。是日杨君导观各处，有养蜂园，有牧鸡场，有牛舍，有马厩，有广大之苗圃，有繁茂之森林，五谷杂苗遍植各地，奇花异树布满庭园，中间复配以凉亭茅舍，竹篱花径，实隐居之妙地也。桂省产麻甚丰，为该省之重要生产，近复于厂中附设一育麻事务所，主其事者为李君，现正将育麻新法周告乡民。

以上种种设施，多系伍廷飏君任建设厅长时所计划，伍君卒业于保定军校，官擢至师长，忽舍武就文，急谋建设，虽无专门学识，闻彼思想之锐敏，治事之勤能，颇为此间一般人士所赞许。闻于二年期内，开桂省公路至五千余里，近更彻底研究改造农村事业，去岁曾至日本参观数月，归途至东北之屯垦区，河北之定县，然后转包头，经山西而归省。现在距柳州三十里许之沙塘村试办垦殖与水利各事，预作改良农村之张本。是日早七时廖军长陪弟等至沙塘，得晤伍君，畅谈甚久，并观其种种试验成绩。

伍君以为欲兴水利，须先测量，欲改良农村，须先注意于农村之经济，现伊聘用测量专员多人，测量各地之水高与水量，又请拨公款五万圆，设一借贷所，一杂货商，一广大的仓库，俾农民得押谷以贷款，如用货而不用款时，亦可押谷以易货。盖乡村经济困窘，向例于春耕谷贵时而贷款，秋收谷贱时而还债。借一偿二，为大利所盘剥，久之经济必有破产之一日。伍君为济此弊，提倡乡人押谷贷款，俟谷贵时再卖谷而偿债，乡人初尚迟疑，至今始知此法之善，依法办理者颇不乏人。伍君复采购东西洋种树作种种之栽植，数年后成绩卓著时，再转教于乡人。盖乡人知识简单，伍君初来时，种种狐疑，恐有不利于彼等，不敢与之接近，直至借贷所成立，与之发生经济关系后，始相信无疑。尝闻有人云到乡间去改良农村，而不知乡间之事正有其种种难关，非如吾人所想之简易也。伍君拟试办数载，如有成效，推而及于全省。吾人虽不敢断定伍君将来之成功如何，然以身任文武要职，一变而为老圃老农，栉风沐雨，胼手胝足，作下层之工作，解乡民之痛苦，较彼高坐庙堂，空谈其大政方针者，其相去似已不可同日语矣！

（廿一年七月廿七日）

# 干与不干

韬奋吾兄：柳州参观三日，又来南宁，途长八百里，不十时而至，交通亦尚称便利。南宁为广西之省会，商业繁隆，究非桂林柳州所可比拟。然地基不大，规模狭小，马路商场均略具形势，较诸广州固小巫见大巫，若比之香港上海，更望尘莫及矣。但弟之来游，其意固别有在。吾国若处处如广州香港上海，帝国主义者将舞蹈欢忻，坐吸脂膏，四万万华族如牛马奴隶般之供人驱使，供人蹂躏，中国更何待战而后亡欤？现尚有一线生机者，犹在大多数无知乡民度其俭朴生活，不知洋街洋楼为何物，更有少数硬骨的同胞挣扎奋斗，为民族作起死回生之工作耳。

到南宁后，第一令人满意者，即各机关服务人员衣冠朴素，工作勤劳，上自总副司令主席，下至司书夫役，一律布衣制服，遵照时间办事，既无豪华骄慢之习，更无因循敷衍之弊，广西最高薪俸为二百二十圆毫洋，合国币一百六十圆许，主席厅长虽有些许办公费，然办公费者仅足以办公而已，绝无余作他项之用。政治概取公开，用人不分畛域，外省人服官于广西者大有人在。询之非特不以薪廉为苦，反兴高采烈，乐此不疲。可见人生意义不全在金钱，而中华民族亦非尽为利禄之宵小，彼坐拥巨资，使权弄术，迷信金钱为万能者，当有所悟矣！

南宁第二令人满意者，即军政合作，精诚团结。每礼拜内各机关首领必会谈一次，关于省中应兴应革事宜，可尽量发表意见，以供采择。非特军政两方之界限泯除，即各机关之隔阂亦无形消灭，谈笑之间，解决许多要政，意至善，法至良也。广西经费困窘，前文已屡为述及，然于万般困窘之中，犹力谋其改造及生产事业，实属难得。此次会晤军政各当局，谈及民间烟赌两事未即戒除，彼等亦极为痛心，惟认以岁收关系，不得不为一时权宜之计；现正筹备广西省银行，总行拟设在香港，如此计得售，金融流通，经济稍有办法，烟赌决计禁绝，是则期望于三年之后。

广西各项新政均甚彻底，而尤足令人兴感者，则训练民团事。际此国难日急，外交紧迫，国人为健强对外力量计，民团之训练实不容缓。广西民风素强，勇于战阵，民团之训练实与有力焉。谨将见闻所及，急为一述，以为关心国事者之采择。

广西民团之设，由来已久，古之所谓团练是也。然以年久失教，散漫无归，李（宗仁）白（崇禧）两司令实行裁兵之后，即积极注意民团，逐次改革，渐臻完善。其法即省政府设团务处，置处长一人，禀承主席之意，专司其事，全省共分六区，每区十五六县不等（全省九十二县）。各区设区指挥部，置正副指挥官各一人，上承团务处之命令，指挥本区各县民团事宜。各县复设民团司令部，置正副司令各一人，上承区指挥部之命令及本县县长之监督，办理全县民团事宜。民团分常备队预备队及后备队三种。凡年在廿岁以上四十岁以下之健康男子，皆得为团丁，有被征之义务。常备队者，就合格壮丁中征调编练之队伍也，其编制分三种：（甲）每队为三排九班，每班十人，共九十人。（乙）每队为二排六班，每班十二人，共七十二人。（丙）每队为二排四班，每班十二人，共四十八人。训练期间为六个月，前期将退伍时，即征调后期续行编练之。各县应训练若干队，及每队应用某种编制，由区民团指挥部斟酌地方贫富土匪多寡而定。但每县至少须有丙种编制一队。预备队者，于常备队团丁训练期满退伍后编定之。预备队无事时可自由谋生，有事时须听县民团司令部之调遣。再每岁于冬季集中训练一星期。后备队者，于编制常备队预备队之外，所有应征壮丁皆属之。后备队之编制与常备队同，但因人数过多，且各有职业，每县于队数总额中抽调分期行之。每半年一期，由区指挥部按每五队请省府派督练官一人，轮驻各区村乡巡回训练。训练开始时，连续实施两星期后，再每星期训练一次，以二十六星期，实施三十五次，训练七十小时为标准。在连续训练之两星期内，如因农忙，团丁无法分身时，可变更，先每星期训练一次，而连续之两星期改在他月行之。

常备队之训练，类似正式陆军，分学科术科两种。学科为：党义、典范令摘要、政治常识、违警罚法、国耻纪要、实业常识、识字课本等。术科为：基本教练、连教练、连野外演习、筑垒实施、国技等。团丁各备枪械，期满成绩及格者，给予退伍证书，得选充后备队干部，不及格者不给证书。后备队之训练则为简单之军事动作，并告以：联防方法、防御工事，及垦荒生产事业的种种常识。训练期满，团丁既知军事之常识，又识行政之概要，一举数得，计殊佳也。

此外并有所谓干部训练班者，即区民团指挥部为养成干部人才起见，就区属各县应征壮丁中，高小以上毕业之学生，或有相当之程度者，选送区指挥部所在地而训练之。所需饷项被服及枪支子弹，除各县常备队额内按照人数直接提拨外，其余各费由省款酌予补助。所授之学术科目及教育计划，由省府规定之。毕业期为六个月，其成绩及格者一律给予毕业证书，发回原籍任用。

广西军队纯为公用，可自由调遣，自由裁撤，绝无拥兵自重不听命令者。前此裁撤之官长，多用之于民团督练官，或干部人员。五年后广西拟练出二百万民兵，一旦边防有事，足资应付。惟干部人员尚虞不足，现将广西大学及高中五校完全改编为军事训练，归总司令部派员指挥，五年后又可训练出五千健将。无事则各执其业，有事则效命疆场。闻广西每岁民团费用不过三百八十万圆，较之岁耗几千百万巨款养些骄兵惰将，无事则苦害小民，有事即兔奔鼠窜，其相差为何如耶！呜呼事急矣，势迫矣，望国内负责诸公放下私心，速谋自救，十室之邑，必有忠信，三人同行，必有我师，为政何必取法于欧美，惟在能否虚心干与不干耳！

（廿一年七月三十日）

# 南方之青岛

韬奋吾兄：广西游毕，即返香港，晤范其务君商进行瓷厂事，妥拟章程，招收股款，昨同范君又来福建之厦门，十九路军驻防漳州，距厦门仅六七十里，范君为商讨该军财政问题，弟则为考察全闽各项情形也。

厦门为吾国一重要海港，握漳泉之利，当港沪之冲，南出南洋，东达日属，水深港静，绝少礁石，一万吨之轮船随时可以出入，实南方之青岛也。鼓浪屿位于对面，仅隔一衣带水，浪静风平，往来极便，列邦之侨商，吾国之富室，多以此为居住区，以其风景幽美，地方静雅也，然面积狭小，人烟稠密，前途发展无大希望。

厦门据禾山海岛之一隅，在昔市政未兴时，市廛湫隘，臭秽不堪，外人讥诮中国街市之腐败，辄举厦门以为例。五年前粤人周君醒南来掌市政，愤国人之颓惰，痛外族之轻侮，废颓垣，修马路，迁荒冢，造公园，其间障碍横生，责骂并至，弗顾也，不数年间，楼房栉比，道途坦平，光华灿烂之都市居然实现。周君建设之功，可谓伟矣。其尤难者，闽省财政支绌，何暇建设，周君不耗公家一钱，不索民间一费，凡所支出，皆自筹措，其最大作用，即开山填海，以旧易新，厦门华侨甚多，自海外营业萧条后，皆愿携资归国，而金贵银贱，外币一圆，约当国币两圆半，周君利用时机，收买弃地，建园筑路，重价售出，侨商争前购买，利息十倍，以所得之利润，作市政之支出。又复开山填海，扩大区域，收入愈为丰厚，经费益感充实。有人说周君仅以铁钉木板，白纸黑墨，竟办了三千余万圆的市政，计划之巧，毅力之坚，能不令人钦佩？

厦门市政既有端倪，周君更进而计划禾山全岛之垦田与造林二事。盖禾山全境山地有十六万余亩，田地有十四万余亩，徒以政府昧于生财之道，人民狃于苟安之习，致令荒田累累，童山濯濯，利弃于地，可慨孰甚？周君博采苗木，详辨土宜，筑坝凿池，蓄水御旱，预定八年之内，地无荒废之田，山尽森林之薮，每年增多产物，可达三百四十万圆，现已按定计划，切实进行。

中山公园为厦门新建设之一，园址在思明城东北隅，西接魁星河，东联妙释寺，道署出其南，溪岸障其北，南北长两千一百三十四英尺，东西宽一千零四十六英尺，山势耸拔，河水荡漾，形仿北平农事试验场，而风景则实过之。园中设体育场、动物园、图书馆、博物院。此外有船厅、有水榭，有华表、有像台。三河汇聚，两溪长流，短桥十，长桥二，纵横交错，布置优美，需费已达八十余万圆，而未成工作，约计二十万圆许，规模之大，建设之精，在国人自办之公园中，可称巨擘。

厦门大学亦厦门特殊建设之一，校址在厦门之西部，依山滨海，形势殊佳，地面积约三百亩，环高而中平，规模宏大，设备完整，为全国私立大学之冠。校董陈嘉庚先生，厦门著名之华侨也。此老性甚慷慨，好善乐施，十年前以南洋各业发达，获利颇巨，乃出其盈余，建厦门大学及集美商业水产各校，资金前后逾千万。惜此老非科学中人，所用者又多非其选，致有费款多而成功少之诮，然以一商人而有此怀抱，亦国人中之难得者也，各校皆在假期，惜未能入内参观，仅在大学部之标本室中看见四目之胎儿，两足之胎马，及一千九百九十五岁之老松。

漳州在厦门对海之西北方，逾海乘汽车一小时可至。沿途乡村连亘，风景宜人，漳州亦古之重镇，明清置府，民国纪元后为兵家所数争。

此间民众似因知识锢蔽而致迷信仍然甚深。此来适在废历七月，漳厦之民正鼓乐喧天，烧香焚纸，闹彼等“普渡”的把戏，据传说咸同间洪杨之变，漳城惨死最众，而此种惨死鬼都是无主之游魂，若不普而渡之，漳厦之鬼祸必不堪设想！为避免鬼祸祈保升平起见，所以规定每年七月间挨家设宴请鬼吃，挨家唱戏请鬼看，应酬彼等欢欢乐乐，即可不来祸人！此种痴愚的念头，真足令人捧腹，今夏虎疫流行，罹者便死，民间以为鬼卒大怒，讨命来了，所以今岁之“普渡”更闹得非常起劲。漳城虽在匪灾之后，满街唱戏，夜半方休，厦门亦是挨家宴请，大烧纸箔，据周市长云，此项消耗每家平均须担负二三十圆，统计漳厦两城须耗去百五六十万圆，乡间且不计入。据报载湖北夏主席就任伊始，曾演剧迎神。湖南某代主席最近亦曾率众祈雨。吾国似已成鬼世界矣乎！

（二十一年八月二十日）

# 如适异国

韬奋吾兄：弟十二日由厦来福州，船行十八小时而至罗星塔，港湾水浅，大船不克入，又改乘小轮，越一时而达福州城。此地语言奇特，如适异国，恐旅居不便，遂借宿于中国银行，行长郭君舜卿，主任贺君次戡，皆忠诚恳挚之士，除勤勉于自身职务外，多热心于社会事业，或捐资扶危，或助款兴学。各有相当之成绩。由郭君介绍许多好友及有益事业，令人感激无已。

福州人口繁密，街市甚长，生产事少，消费事多，加以苛捐杂税之结果，生活程度几与沪上相伯仲。满街悬挂“拍卖”之招牌，商家苦痛，不言可喻。据云，旧例每月初二及十六为商家履行信约交款之日期，今岁此种多年之惯例已无形打破，经济衰落，危机四伏。然每至公园酒馆，而红男绿女，阔官达人，仍是闲情逸致，度彼等之超等生活，更有几人深入社会研究研究，形势严重的社会问题？

福建造纸厂为福州最大实业之一，经理陈希庆君，厦门人，十年前就学于北平清华大学化学系，卒业后留学美国，专攻纸业，复到德法瑞士各国考察多时，三年前学成归国，欲举斯业，求资于华侨，而华侨因领略过祖国之军阀土匪苛捐杂税，爱国有心，投资无意。陈君苦口劝解，请为试办，遂由各侨商零筹集资至百万，是为此厂开办之始。故此厂含有扩大性，亦含有危险性。陈君创办之前，曾化装至闽北各地调查原料，用心良苦，厥志可嘉。三年中尽在筹备期间，开工不过五阅月，机器多购自德国或瑞士，皆世界最新之制品。弟赖郭行长介绍，得往参观，招待员为杨君襄吾，福建晋江人，前卒业于圣约翰学校，专攻商科，精明强干，经验颇深，实陈君之好膀臂，杨君导观各处，讲解极详。福建产竹与苇，为造纸之最好原料，至纸屑破网，向为废材，或售于日本，今皆为该厂所收用。厂临海滨，运输极便，实天然一造纸区。现在所出之成品为白官纸，包皮纸，及信纸等，若改造报纸时尚须添资四百万，是须视该厂初步之信用如何，故陈杨二君正在小心翼翼，惨澹经营，以求信誉之日增。

制纸之外，福州较大之实业只有电灯公司，资金一百二十万圆，创其始者为刘君崇伦。该公司以原有机器马力不足，近又购一新机，马力较前为大，除供给全城电灯之用外，复置一农场为研究农村电化之用，诚佳事也。

福州有惠儿院一处，专收贫苦无家之孤儿，教以工读，此院之缘起颇有一述之价值。九年前有沈永嫌董焜藩两少年，一卒业于中等师范，一卒业于附属中学，两君家不中资，而热心于贫民教育，以为教育最大功效在能转贫弱为富强，变无业为有业，两君立定决心，刻苦干去。时沈君年仅二十，董君则二十有四，彼等由同志而联为姻好，沈君之妇，董君之妹也，该院开办伊始，仅收学生三人，室徒四壁，桌仅三足，两君非特以全副精神与体力尽瘁于此院，举凡院中一应物品，皆取给于家中，教授渐久，学生日多，留心社会事业之人颇为注意，于是有浙江钟子让先生首先帮忙，除代指导规划外，复代捐基金千七百余圆。其后慈善大家相继而起，或助以金钱，或佐以人力，上述之郭行长亦此院之重要董事也。学生现有一百八十余人，楼房四十余间，内作寝室校舍及工厂之用，此外有繁茂之校园，有广大之运动场，有阅报室，有图书馆，并有一明窗净几舒适开朗之客厅。学制原定为六年卒业，每日半工半读，嗣以学生精神不能集中，又改为四年专学，三年专工，卒业期间为七年。学生入校年龄由八岁至十四岁。每届招生时投考者千余人，为经费所限，不能多收，诚憾事也。其取生最大条件即择其最贫而最苦者为合格。学生入校后一切饮食服用皆由院中供给，所学课程与普通学校无稍异，每岁全城各校有会考一事，此院学生辄列前茅，可见人贫而志不贫也。工厂之工作分缝工，漆工，藤竹，草工四科，近更注意于蚕丝一事，惟范围日广，需款孔多，虽有银行家及慈善家设法接济，现尚负债至一万五千余圆，每月经费一千八百圆，除省府津贴七百圆，教厅津贴一百五十圆，教育局津贴八十圆，及学生制品收入二百余圆外，不敷之数尚有七百。二君一方求经济之独立，一方谋院务之发展，现仍在挣扎奋斗中。

福建博物研究会亦为福州极可注意事业之一。会长曾君睿，副会长林君鉴清，十年前两君卒业于福州师范学校，匠心素具，博学多能，鉴于全国博物标本咸购自东邻 ××，痛利权之外溢，展制造之天才，收集珍禽异兽，一面豢养，一面仿造，居然与购自外洋者无稍异。制造愈多，兴味益浓，于是飞潜动植，五金石矿，无一而不收揽，无一而不仿造，俨然一动物园一博物院焉，补助于教育之进展处，厥功甚伟。中华书局及科学仪器馆皆为该会之重要主顾，福州各学校皆以该会为标本室，一般民众亦因之增长识见不少。惟经费一节，虽由省政府年助若干，而大宗款项皆由两君之自备。在过去十年中，闻已耗费数万之巨，此种舍己为公之精神，尤足令人敬佩。闻蔡孑民先生前参观该会时，愿以中华基金委员会底款拨出一部作为该会之基金，果尔则该会前途之发展当更有望。

福州人民之迷信较漳厦为尤甚，每年废历七月间除举行“普渡”之外，复有“出海”一说。即福州各庙备有大小竹木编制之偶壳，外穿鬼衣冠，内以人肩之而趋。一个大者身高丈余，小者身高三四尺，名为七爷八爷，专司驱鬼之用。每当夜深人静，七爷八爷出街寻鬼，其实人在其中舞舌弄眼，作出种种怪态，小者导前，大者拥后，意为街中诸鬼皆被诱去，然后至海滨一船，其船系有人预先备好者，船中置有各种器物及各项食品。七爷八爷将所有之鬼一齐送至船上，将船放至中流任其所之，则船中之鬼皆以为此中乐不思蜀矣。是为“出海”。然有时海风大作，该船被阻靠岸，则岸上居民必大呼“倒霉”，手足将无所措。噫！民智如此，可笑亦复可怜！然七爷八爷之驱鬼，须有相当之代价，未有甘尽义务者！每庙照其所领区域，沿门逐户，按名索驱鬼费三五毛不等，交款后与一纸条，上有符印等把戏，将各人之名书于条上，悬之门前，以便七爷八爷经过时查阅！故闽人为正事募捐殊难如愿，惟此款则绝不落后；遇调查户口时总要掩藏躲避，惟此事则向不说谎。

福建一般民智既如此，政治之腐败概可想见。省府中除教厅程厅长在经费困难之下，犹竭其精力，得到几许成绩外，复有建设许厅长勇猛前进，总算修了不少通行之马路。其他政令不出省门，土匪蔓延各地，国家以收土匪为政治无上之法门，人民以当土匪为进身唯一之捷径。土匪而竟赐以官衔，声价增高，保障加厚，人又何乐而不为土匪？民十九竟有官土匪卢兴邦者绑去五省委之奇闻（本刊曾有程厅长的自述，参看第六卷第一二三等期）。福建全省有七旅三师，兵数逾十万，除卢兴邦外，复有陈国辉张贞林寿国叶定国等等，或扼海口，或占要区，皆为著名之土皇帝，明争暗斗，合纵连横，对内屡起风波，对外毫无准备，苛捐杂税，指不胜屈，竟有棺材捐，婚嫁捐，母猪捐，鸡卵捐等等之新名头，闽省本有竹茶木笋四大出产，一限于交通，一迫于重税，坐视衰落而无可挽救。据闻闽北木料运至省城，途长不过百数十里，而剥削经过四十八次。民初闽茶出口于西洋者，达三百余万圆，今尚不及十分之一。老百姓水深火热，一线生机，全望于十九路军，而十九路军干事人员亦刻刻以铲除闽人疾苦为念，是则闽省治绩当观今后之措施矣。

（二十一年八月二十日）

# 到北平

韬奋吾兄：国难已逾一周年矣，敌方所赐于吾人者，枪痕炮迹，掠地攘城。吾人所返于敌方者，抗议，反对，及空口的长期抵抗而已！呜呼，国联虚设也；公约具文也；是皆强国与强国休战的缓冲宝贝，或强国骗弱国图强的假面具！处今之日而欲与虎狼一争长短，除自身团结，实力抵抗外，更有何说？十九路军沪上一役，在国民经济上虽受莫大之损失，然在国家之体面上，民族之人格上，增高奚止倍蓰！继十九路军之后而实力抵抗者，只有东北毫无给养毫无训练之数十万义勇军。倭寇年来谋我侵我之计划，无不实现，而犹不能安枕高眠，欢颜下咽者，只此三千万之民众人心未尽死耳！弟到平以来，采集各方情况，关于关外义军事迹，攻城破垒，拆轨毁桥，确足以寒贼之胆，使倭寇疲于奔命，最近破坏抚顺煤矿，尤为空前未有之成绩，现正严密组织，急谋秋后御倭之策。南方一般人士多以为青纱帏起，为义军活跃之期，若青纱一倒，义军恐无用武之地，殊不知是皆昧于义军之实际情形者也。盖义军之组织始于去岁秋末，初未计及青纱之有无也，不过青纱帏起期间其活动更为有效耳。盖义军非正式军队，无定居，无确数，或数十为伍，或千百成群，散处各乡，遍地皆是，有事则持枪为军，无事则退居为民，倭寇能变东北土地为伪国，而不能变东北民众为伪民；能威诱少数无耻之禽兽，而不能摇动三千万民众之意志。每闻义军血战情形，令人感泣！以刀斧御敌，以血肉冲锋，前仆后继，百折不回，其勇武不亚于十九路军，而艰苦则实过之。敌人虽有深沟高垒，新枪大炮，无用也。每思同遭国难，同属国人，此则餐风沐雨，彼则锦衣玉食；此则血肉横飞，彼则酣歌恒舞。揆诸情理，岂得为平？况塞外草衰，严寒立至，义军纵能御强暴之 ×，而不能御不衣之寒；纵能杀顽强之虏，而不能减枵腹之饥。深望各方同志与各界长官亦以十九路军捐廉办法，以月入百分之几助为义军之费，在个人所捐甚微，在总数所得极大，沪上倡之于前，各地风行于后，集腋成裘，源源接济，则义军之给养有着，伪国之完成无望。外族每讥吾人为五分钟热度，为无组织民族，正可借此以雪其耻。如以巨款攸关，不轻取舍，可由沪上联会妥派干员来平监视用途，此举一成，非特东北之失地收复有望，而四万万华胄之团结大可由此造其端也。

（九月廿五日，北平）

# 热河通讯

“知足者长乐，能忍者自安”，此两句废话，误尽苍生！国难发生以来，记者环游各省，泣涕而告，闻风兴起忠义愤发者固不乏人；老生常谈，坐观成败者，亦大有人在。因之发现国人两种普通心理，其一依赖心，其二卸责心。有此两种心理，国难问题终至不可收拾！

记者此次受上海市地方协会公推，偕同各代表赴平津接洽华北抗 × 事件。到后二日，适宋子文张学良诸氏连袂赴热，我等亦偕往，浴途军队如鲫，士气壮旺，记者并携有学生三十人，皆自愿加入军队作政治工作者。现将到热后见闻，略述以告。热境民气最强，而贫苦不堪言状，即以承德而论，商店十家九闭，状极凄凉，沿街惟鸦片馆吗啡商最发达。闻以鸦片精及吗啡等可制白面，其毒更烈，其价尤高，承德即有两大工场，每日可出白面二百磅，主办者非二大人，即二公子，个人之收入固能日进斗金，而数百万之精神财力，皆埋葬于此雪白世界矣！

承德为热河之首县，亦省会之所在，四面环山，风景绝好，有行宫位于街之东首，清室皇族避暑之地，故曰“避暑山庄”。宫中山势起伏，殿阁雄伟，现为省政府所占用。主席汤玉麟私邸亦在内。宫之后有松林，有鹿囿，并有溪流一道，杂以亭阁，为夏令避暑的胜地，宫墙之外有八大承德著名之美景。远处瞻望，状极秀美，形式颇具欧风，然近观之则碎瓦颓垣，不胜今昔之感。承德市政一任天然，警察多四五十岁之老叟，月入不值国币三圆，如何生存？（自然别有妙用！）学校仅有初级中学与师范，程度低劣远不如旧式学制之高小，至于民政厅财政厅警务处教育厅名目应有尽有，叩其实，不过一私人之号房而已。最堪发噱者，一位党执委先生某日询吾友吴君曰：“三民主义究竟是个什么东西？”

承德禁烟药店一二千户，名为禁烟堂入其室则数榻横陈，开灯方便。主其事者，多黄呢服，金边帽，纠纠之气，非特勇于治兵，且巧于理财！热河财厅之收入，亦以此为大宗。全城人口染芙蓉癖者十之六七，与湘皖相较固远超其上，若比之川鄂云贵，则可并驾齐驱矣。

记者定一二日内送学生到前方工作。昨与义勇军第二团总指挥王化一君往见汤主席，长谈三小时，关于热河最近经过，所谈甚详。据云热河初不敢积极抗 × 者，因军队无充实准备，国府无彻底计划，不得不曲与周旋，免彼长驱直入，待朱将军来热组办义军后，子弹给养陆续接济，政府亦拨款救援，抗 × 态度始逐渐表明，× × 屡次威逼利诱，令余签字（汤自称），余始终坚决拒绝，未遗彼以左证，余年逾六十，已历尽人间荣辱，纵不能为国杀贼，尚欲作一亡国奴乎？军阀空调，尚有待于事实之证明，殊未可信。且彼在热政治之糟，尤属无可讳言。热河连年兵燹，民不聊生，及汤莅热，集兵燹之大成，金融破产，警教废弛，可谓漆黑一团！汤氏年老，而精神饱满，体格极健，闻彼平生所嗜者骏马好枪美人三者。骏马数十匹，最捷者日行七百里；好枪数百杆，常乘马放枪为乐，故有一马三枪之谚（马跑时打枪）；美人则有六位，置之后宫，常携游山水以自娱。

（廿二年二月廿一日，热河）

# 敌忾同仇

驼负千斤，蚁负一粒，国难期中各人卫国之责，虽有大小轻重之不同，而敌忾同仇，用心原无二致，自榆关失守以来，全国鼎沸，奔走骇汗，以为前方服务人员更当如大难临头，手足无措矣。孰意理想每与事实相反，余来承德本拟送学生到前方工作，热河交通队虽允即日拨车，而延缓三日，毫无踪影，不得已请之于主席。交通队总算看重主席，始为拨下载重破车六辆，于是余携学生三十人，义勇军第二军团总指挥王化一君带领部属四十余人，并有投笔从戎之李家美夫妇二人（李鸿章四世孙，北平中国银行行员），浩浩荡荡，杀奔朝阳。出城二十里许，一车忽倦于行，以团体关系，众车不得进，围困至晚，因宿于路旁一小村中，人多室少，休息无地，假寐以达旦。乡民贫苦不堪，年入不敷所出，纷纷七十余人，颇以供给饮馔为苦，余等先示以钱，遂欣然愿为之备。询以国事，如痴人说梦痛痒不关于怀。又询以对官府感想如何，彼疑余等为热军，局促不敢言，及告以真相，则滔滔所述，皆血泪语。噫嘻！亡秦者非胡也！翌晨又前行，未逾时而峻岭当前，坡高不得上，从人皆下车，负囊担袋，络绎于途，经半日始越此险阻。傍晚将抵平原县，又一车跛一足，遂宿于是邑。邑宰吴君，为怕行军避于肆中，知余等非虎头而冠者，始归署。署破如车店，垃圾满院，秽尘盈室。办公室之侧，置鸦片烟具，据云专为奉客之用，吴君殷勤飨余，余愧无以应！学生性急心热，执小旗遍向市中演讲，市民大表欢迎。晚间宿于附近村中，为乡人详述应有抗 × 之决心及国际之大势，乡民亦极为感动，款学生如上宾。平原距凌源一百八十里，凌源距朝阳二百四十里，驻平军队为王永盛旅，现改为师，万福麟之旧部也。来此为客军，较之热军纪律严整，给养皆自供，不甚扰民，故民颇安之，此军为后防预备队，不修阵地，专供前方调遣之用，器械与军容尚称完整。翌日赴凌源，此路山途较少，车行甚易，天傍午达目的地。惟五车续至，第六车又息于途，急派车前往迎换，往返三百里，披星戴月，彻夜始归。该车乘客中有李夫人，据云家居是翠楼暖阁，锦衣玉食，如此艰险，梦想所不及料。此处驻防军队为于兆麟旅，现亦改师，万之部属，余之故交也，其人勇敢善战，队伍亦极整饬。闻朝阳失守讯，痛愤不可名状，学生中有热河籍者，本拟赴朝阳工作，闻讯亦悲愤填胸，极愿到前方一视炮火之何似，余婉劝始息，是日英美德武官四人来凌参观战况。翌晨七时赴凌前之叶柏寿村，视我方之阵地如何。该处系于旅之范团驻防，距凌源九十里，山高路险，为防守之要区。余商之于君亦加入考察，车三辆行距叶柏寿村前十里许，见飞机回转空中，若有所寻。余等急将车掩蔽林内，少顷闻炸弹声连响数四，机亦飞去。至村中询之村民，知一弹中士兵，而伤不甚重，又一弹掷小孩之侧，未爆发，其他皆堕入河水中。此处阵地修筑甚坚，布置亦极合法，惜时间仓卒，未得整个完成。据前方来人云朝阳之败，固由于兵力单薄，然民众携贰，转以资敌，实为董旅之致命伤。考其原因，热军积年无饷，专事扰民，平日恶感过深，民众敢怒而不敢言，一旦有事，欲其精诚合作，为国杀贼，是乌乎得？此次学生队之主要工作，即联合民众，勿为敌诱，谚云“平时不烧香，忙来抱佛脚”，此术有无灵效，亦惟付之于国运而已！

（廿三年二月廿八日，热河）

# 前线回来

我们幼年的时候，读到甲午中日之战，像闹把戏似的，灯吹火灭就把个战事解决了，土地失掉了，当时悲愤填膺，拍案叫骂庸贼误国。不料在我们渺小的人生几十年中间，这一幕影戏又活演在我们的目前，真是令人气煞，真是令人闷死。可是这一幕活剧究竟是怎样布局？怎样导演？想读者诸君坐在台后莫明其妙，且听记者详细的说明一下。

热河政治的恶劣，历史上无此先例，记者上次虽略为道及，但仅指其一斑，尚未窥其全豹。这次历游该省各县，博采乡谈，热民的疾苦，又非川闽之人所能及料了。汤氏秉大禹的遗训，以家天下为怀，所以军政大权，都操在他的令郎的手里。热地瘠贫，搜括已尽，于是大开财源，广种鸦片。世间皆以黄白二货为纸币基金，而热河以黑货代之。汤家男工女仆每月发饷时，不曰几圆几角，皆曰几两几钱（指黑货）。新经济政策，虽苏维埃亦望尘莫及。“九·一八”之前，将黑货西运三省，东宰平津，四通八达，销路倒也不错。“九·一八”以后，善于模仿的矮弟弟侵吞了三省，正自点金无术，那肯让他独美于前？西路的买卖因而断绝，汤氏神通广大，佛法无边，以黑土变白面，新发明因而出现。质量既轻，价格又贵，且可消纳大量之烟土，于是纠纠武夫，皆变成“白面书生”矣！兵士之不能作战，此即一大原因。

军士警察九阅月未发一饷，若问他何以生存，袖里乾坤，各有法宝，千变万化，苦在小民。记者一日行某村，村人皆出望，中有一裸体小儿，亦随众乱跑，北方天寒，畏缩不敢直立，询以故，曰贫不能衣。身边有小洋二毫，掷赠之，村人惊喜若狂，急令小儿叩头称谢！乡间窘况，于此可见一斑。攻敌令下，军队到处征给养，且以少报多，余则中饱，乡人恨汤入骨，有“宁作亡国人，不作汤氏民”之谚。朝阳失守，有说乡民携枪助敌者，人心既去，险要复何能为？

汤此次虽口口声声表示决心抗 ×，可是他老人家，三公论道，六卿分职，自己坐在宫里，逍遥岁月，不但乡间的疾苦，他不得而知，就是他下面究竟那一般人管事，他都有点弄不清楚。这次记者在前方考察阵地归来，向他说明阵地工事未作，出发的命令发表了五六天，而军队尚未开拔，他这才大骂参谋长，误了孤家的江山！至于这位参谋长先生，骨瘦如柴，面黄如土，记者曾到他的办公室一次，烟云缭绕，飘飘欲仙。若不是记者学过深呼吸，岌岌不可以片刻居。汤下的臣宰，所有的都是五百年前的封建思想。谈起话来，不曰吃大帅的饭，则曰沐大帅的恩。什么国家啦，民族啦，热河的字典中未曾有过记载。时局严重如此，而纶巾羽扇，缓步安车，打牌者仍是打牌，吸烟者仍是吸烟。

我国有这好的官吏，有这好的兵丁，还有性软如羊的老百姓（旁人还说热河民野），何敌不入？何战不亡？何况热河境内又有什么东北军，杂牌军，义勇军，详分之，又什么万军，孙军，张军，李军，派别既不一致，指挥自难统一。所以打甲则乙不动，打乙则丙不动，打丙则甲乙均不动，敌人个个击破节节进攻，风驰电掣地不旬日间而太阳旗飘扬于承德城上矣！

记者生在东北，创痛最深，国人苟有救亡表示，无不顿首稽颡，歌功颂德，何敢丧心病狂，故说风凉话。无奈事实所证明者，确是如此，不能不揭其真相以痛告国人。

说也难怪，中国文武当局本来对于民族的观念，不如私家看得重，尤其是东北。所以“九·一八”亡省之后，我们这些傻大瓜天天呼喊着什么国土啊，人权啊，矿山啊，林业啊，在他们看来，这又有什么了不得的！财产如丢得太多，索性回到“满洲国”去，至少还要充个二重的强国民，进一步或可弄个伪官当当；财产如丢得太少，索性不要了，免得世人骂他为亡国奴，来到平津还可再捞一把。这一部哲学史，他们是研究得非常清楚。所以在不抵抗主义之下，团结起来，努力工作，有人要来谈谈国事，他们也像煞有介事，疾首蹙额，顿足捶胸。时间过去，还是鸦片吸吸，麻雀打打，救国云乎哉！文武官僚大半属于此辈。

总之国难年余，同胞血汗金钱，捐出并不为少；对民族具有忠心义胆，躬亲极艰险的工作而令人闻之落泪者固不乏人；真正革命分子，死亡亦不为不多。然而国土日失，权利日丧，究其实际，无彻底的认识，无整个的组织，枝枝节节，零碎应付，长此延误，不堪设想，热心民众，其速猛醒！

（二十二年三月二日自北平寄）

# 八年努力中的愿望

当民国四年，× × 提出置中国于死地的二十一条件，我那时刚在奉天两级师范附属中学毕业，听到了这种消息，整天陷在抑郁忧闷的境域中，寝食俱废者三四日，我恨没有百万雄兵，扫荡三岛以泄我胸中的积愤。那时一班爱国志士奔走呼号，高呼“抵制 × 货”的口号，想拿全国一致的运动，以抵抗 × × 侵略的野心。但是以中国形似一盘散沙的同胞，经过了一度电气的刺激，只保持了所谓“五分钟的热度”，便渐渐地归入无影无踪的状态中了。那时我便感觉到一时的义愤还须继以切实的救国工作，便怀着提倡实业以救中国的愿望。但是各人仅能就各人的能力作尽量的贡献，我志在以实业救国，实业的范围也很广，我要选择一种为我国所需要而又为我所能尽力的才行，我便开始在选择方面时常留心考虑。

有一天我偶然在一本窑业杂志中看见载着关于日人在大连所办的大华窑业会社的一段文字，很受感触。那段文字的大意是说大连满铁总社内设一中央试验所，每年以数十万的巨款，作极完全的设备，延聘国内（指日本）专门人才，研究试验满蒙各种农产矿产以及森林畜牧渔业等等，例如大豆高粱之如何改良，马牛羊豕之如何变种，无不加以切实的研究和精密的试验，俟专家研究试验有了结果之后，即募集资本，设厂制造。即以瓷业一项而言，大华窑业会社之成立经过情形也是这样，先由专家研究试验某地有粘土，某地有长石，某地交通发达，某地运输便利，每年产额若干，每年用度几何，然后计划工厂的配置，窑房的建筑，一一预备妥当，最后募集资本，把整个的计划次第进行起来。

我看到这段文字，想起外人官商合办的公司（指满铁会社而言），对于各种实业这样的提倡，这样的辅导，反观我国散漫糊涂过日子，让宝藏尽量给人掠夺的情形，发生无限的感慨。同时想起日本国内的瓷器运到我国，已经博得“价廉物美”的好评，现在又进而在我国境内设厂制造，加上他们政府的帮助，技术又精巧，机器又良好，设备又完全，我国怎能和他对抗竞争呢？我此时一方面要想决志创办瓷厂以挽回祖国利权，一方面又觉日人经营此业的厉害。但我念及“天下无难事，只怕有心人”的一句老话，我的愿望并不因此消沈。日人的技术精巧，计划周密，固然不是我们所能一蹴而就，但是我国工价低廉，交易方便，也未始没胜过日人之处。我因此便想办瓷厂，我当然先须从自己的学识技术上下工夫，换句话说，我先须设法学习窑业专科，以我家境之清寒，这又是一个难关，但我仍不气馁，时当留心机会。

凑巧民国五年辽宁省要选送学生到日本去学习实业，我觉得这种千载难逢的好机会，可以遂我生平的志愿，怎肯轻被放过？于是经过多次考试之后，居然侥幸获选，我便同了几十个志同道合的学友到日本去。到日本后所最触目惊心的，便是在他们国家里找不出一块无用荒地，或一条不能行船的河道，更找不到一个不学无术的人，至于工商业的发达，在在使我注意。我以为我们对于 ×× 侵略我国，固然觉得可恨，但是他们的创造和努力的精神，我们未尝不可效法。

再看到他们工业品的海外市场，有印度，南洋群岛，以及中国，但是以销出的数量而言，我们中国实是他们首屈一指的大主顾。在那些工业品当中，我所特注意的当然是瓷器一项。瓷器本是我国所发明的，在唐宋的时候日本屡次派人到我国学习，就是欧西各国也极宝贵我国的瓷器，但是现在情形怎样？近百年来东西各国以科学的猛进，发明了各种机器制造品，不但式样巧妙，而且品质优良，颜色鲜明可爱，价格也十分便宜，于是我国几千年相传的国产，在销出数量的表格中一落千丈，终至于本国市场中也充满了外货，被世界称为“瓷器国”（China）的中国竟在世界市场上一蹶不振，讲起来真令人气煞。这种情形愈坚我的决心，遂毅然投入东京工业学校的窑业科（窑业科不止此瓷器一门，砖瓦玻璃珐琅洋灰等也属于这一科），从此我便实践上午听讲下午实习的生活，并常在课后到各大工厂去参观和实习，俾就实地工作获得真切的经验。

民国十二年春，我从日本东京工业学校毕业回国，就开始从事于募股的工作。写到这里，我不妨与读者诸君谈一些题外的事情。我们中国从前一般的风气，若有一个留学生从海外归来，无论学的什么，有许多亲友总希望他能做官！他至少希望你做某机关的局长，或某机关的科长，我当时回国后也有人这样希望我，老实不客气的开口这样问我，我自己打定主意，对他们只报以一笑。但是我的确有我的困难。我国已往的什么公司事业，不是做经理的将股东的血汗自饱私囊，便是当会计的把所有利益放进自己的荷包里，这种情形在报上已数见不鲜。此外因用人不当，或财政不清，而使公司外强中干形存实亡的亦比比皆是，求一个完全根据公司规章按步实行的，真似凤毛麟角之不可多见。所以国人一听见“募股”两字，往往如过鲍鱼之肆，闭目掩鼻的躲避惟恐不及。政府呢，只知考选实业学生，至于回国后怎样使各得其所，或对事业上予以相当的辅助，那是另一问题，不闻不问。在这种情形之下，拿着一个穷措大的资格，要创办实业抵抗外国的侵略，实有些近于痴人说梦，所以我的一般同学也都劝我说：“你还是找个小差使做做再说吧！”但是我仍抱着初志，不屈不挠的进行。

我从日本回国之后，要想用我所学以贡献于祖国，其困难情形，上次已经说过，但我想我从小做起，也许未尝没有希望；我要募集资本几百万几十万圆来办实业，一时急切不能办到，几万或几千圆的实业或可以办到吧，于是我草了一张计划书，打算在办瓷业之前，先办砖瓦事业，因为我觉得先办砖瓦有两种意义：（一）砖瓦事业资本可大可小，并且在较短期内可以收效以坚投资者的信用；（二）一般国人往往以为学生只能享福而不能苦干，砖瓦事业在一般知识阶级中人更视为卑贱而辛苦的事情，我要证明我们学生也能耐苦，也肯作一般人所看不起的辛苦事业。我多方设法之后，幸有同学阚君宇清先给我筹集了六千圆，我便在沈阳北门外买了六十亩地，建起五间草屋，掘井筑窑（砖窑）。我虽有了小小的基础，作为我努力的出发点，但这时亲友的失望声，同学的揶揄声，却听了不少，而一般人的白眼，和军警的凌侮，我也受过若干次。工作劳苦和环境的艰难，真不是做学生时代所梦想得到的，我总抱定"我不入地狱谁入地狱"的主意，毫不悔心的做去。

但是六千圆的资本怎能应付裕如？有限的经济力便处处牵住砖厂的发展，我于是一面忍苦工作，拿点苦中得来的成绩给人看，一面仍继续募股，幸得一二师友的同情协助，又在东奔西跑，得寸进尺，根据“张口三分利，不给也够本”的两句格言，不息的进行，居然又募到一万圆以上。于是我们的窑由小而大，出品方面也积极的改良，博得社会的好感，募股也渐渐因之顺利，由三万而五万，五万而十万，德国式哈夫曼的大轮窑在三年之中竟达到目的，辽宁一省的大建筑所用的新式砖瓦，×× 人因而不能独占了，从此从 ×× 人手中夺下的金额有二十万圆以上。砖瓦虽小道，但我要替国家争回权利，至此略觉自慰。

砖窑虽有相当的成就，但却不是我所理想的目标，我所理想的目标是瓷业。瓷业所以不能轻易有成，原因有三：（一）须有充分的准备时间，（二）须有熟练的工人，（三）须有充裕的资本。这三项是办瓷业成功的三大因素，我现在再逐项说明如下：

第一所谓须有充分准备时间，有三个阶段：（1）调查原料，（2）购置机器，（3）建筑工厂的房屋。自从我所经营的砖业逐渐发达之后，我一面仍在经营砖瓦事业，同时便在顺带调查瓷业所需的原料。我根据 ××

人所调查的可得原料的区域，带了工人共去到处挖掘，经过了两个月的搜罗，得到三十多种的粘土，但在这三十多种的粘土之中，究竟那几种适用，因为本厂以及辽宁全省都没有化验的地方，无从证实，不得已还得到大连有 × 人设备的处所，托本国人私自化验，结果在三十多种的粘土中真可适用的不过五种而已。原料虽然认定，但是要进行购买时又发生许多波折，乡下人以为奇货可居，便随意大抬其价，于是不知又费多少次的奔走商洽，购买的手续方始弄妥。

第二是熟练的工人问题。在这种瓷厂里必须有几百个熟练工人，才敷应用，有人以为江西做瓷业的工人很多，大可调来应用，却不知江西工人只会用手工旧法，在这纯用机器制造的工厂中，一无可用。假使从新教练出一批人才来，谈何容易。不得已又往大连在 × 人所办的厂中择其艺术精良的工人，预约二十八个，并且要他们在开办工厂时一请就来，这种事实也是经过了许多的波折才办到的，虽对那 × 厂实在抱歉，但为工业竞争计，只得抱歉了。这样一来，原料定了，工人也有了，所急须要办的就是建筑厂屋和购买机器两件事，但在办这两件事之前，第一个要解决的便是“钱”的问题。

于是讲到所谓须有充裕的资本，此时所需的款项与以前大不相同，预定至少须四十万圆，虽从各方面设法募得十几万圆（除前十万圆外），还是无补实际，加以战争屡起，时局多变，募股更不易进行。于是此事既不能中止，又难于前进，此中苦况真非笔墨所能形容，俗语所谓“两手捧刺猬，拿不起，放不下”，真好像我当时的写照。专凭三寸舌，各方面往返商榷数月之久，才息借到三十万圆，于民国十七年把瓷器厂筑成，机器装就，除大连 × 厂中的工人来到外，并招考学生二百名，加以教练，于是瓷厂的规模略具粗型。但在开工起始的时候，仍因工人艺术不熟，烧出的瓷器，颜色黑黄，花纹暗淡，于是公司中同事大为颓丧，以为费了数十万的巨款，和五六年的经营，而所得的结果不过如此，这种货品怎样可以出售呢？更怎样可以和外货竞争呢？但是我仍旧不变初志，深信天下事决没有一蹴而即能得到完美的结果，所以仍持之以恒，细心研究。过了半年，色泽稍好，花纹亦渐新，一年以后，色泽优美，花纹更十分新颖，大足与舶来品较一个高低。十八年出品三百余万件，十九年六百余万件，今年可出一千万件，取原有之 × 货而代之，每年所挽回的利权可达一百万圆以上。

我虽努力了八年，尚在挣扎奋斗中，还谈不到什么成功，就是稍有些成就，那也是社会的赞许和各方面帮助的结晶。在最近金贵银贱声中，正发展国货的绝好机会，愿与同志共勉，改良我国瓷业，以实力与外人奋斗，肃清外人瓷业在华的势力。我并望全国同胞各就范围作实际工作，为国家贮蓄实力，以实力来御外。

（二十年七月）

## 三联经典文库第二辑简目

《游击战教程》　明凡 / 著

《游击战术纲要》　陶剑青 / 编著

《汪精卫卖国的理论与实践》　钱俊瑞 / 著

《抗战以来》　韬奋 / 著

《陕行纪实》　楚云 / 著

《随军散记》　沙汀 / 著

《被日寇囚系半载记》　王研石 / 著

《倭营历险记》　房沧浪 / 著

《活跃的新西北》　田影 / 编著

《保卫华北的游击战》　刘清扬　陈北鸥等 / 著

《徐州突围》　《徐州突围》编委会 / 编

《沦亡的平津》　长江　小方等 / 著

《淞沪火线上》　胡兰畦等 / 著

《瞻回东战场》　长江　罗平 / 著

《东线的撤退》　胡兰畦等 / 著

《抗战中的西北》　徐盈 / 著

《鲁闽风云》　徐盈等 / 著

《西线生活》　西北战地服务团集体创作

《中国解放区见闻》　［美］福尔曼著 / 朱进译
《全面抗战论》　潘汉年 / 著
《日本的间谍》　范士白自述 / 尊闻译
《日本大陆政策的真面目》　国难资料编辑社 / 编
《民众动员论》　李公朴 / 著
《中国外交史》　钱亦石 / 编著
《太平洋军事地理》　蒋震华 / 著
《世界经济地理讲话》　思慕 / 著
《列强军力论》　［德］马克斯 · 威纳尔著 / 宾符　仲持　梅益等译
《近代国际关系史》　张铁生 / 著
《太平洋现势手册》　沈志远　石啸冲 / 编著
《近代世界政治史》　钱亦石 / 著
《从战争到和平——一九四五年的世界政治》　乔木 / 著
《战后日本问题》　思慕 / 著
《最近一年间的国际动态（1946.7–1947.6）》　《东北日报》社 / 编
《论政党》　翟放 / 著
《法与宪法》　韩幽桐 / 编著
《中华民国宪法刍议》　罗家衡 / 著
《民主 · 宪法 · 人权——作之民》　费孝通 / 著
《宪法论初步》　潘念之 / 著
《对反民主的抗争》　韬奋 / 著
《农村改进的理论与实际》　江恒源 / 著

《上海产业与上海职工》（上下）　　朱邦兴　胡林阁　徐声 / 合编

《陶行知教育论文选辑》　　陶行知著 / 方与严编

《中国通货膨胀论》　　杨培新 / 著

《中国及其未完成的革命》　　H・普拉特著 / 蒋天佐译

《中国的建设问题与人的训练》　　卢作孚 / 著

《论中国特殊性及其他》　　艾思奇 / 著

《中国经济问题讲话》　　钱俊瑞　徐雪寒　王渔邨　姜君辰　骆耕漠 / 合著

《中国经济的道路》　　许涤新 / 著

《中国财政之病态及其批判》　　孙怀仁 / 著

《官僚资本论》　　许涤新 / 著

《五四运动之史的评价》　　陈端志 / 著

《中国通史简编》（上下）　　中国历史研究会　范文澜 / 主编

《论文学的工农兵方向——读〈在延安文艺座谈会上的讲话〉》　雪苇 / 著

《中国近代史（上编　第一分册）》　　武波 / 编著

《文学百题》　　傅东华 / 编

《中国史学之进化》　　周谷城 / 著

《论民族形式问题》　　胡风 / 著

《论批评》　　荃麟等 / 著

《中国史纲》（第一卷上下、第二卷上下）　　翦伯赞 / 著

《近代中国思想学说史》（1-4）　　侯外庐 / 著

《中国政治思想史》（上下）　吕振羽 / 著

《中国哲学史纲要》　向林冰 / 著

《中国政治史讲话》　钱亦石 / 著

《中国社会经济史纲》　王渔邨 / 著

《新财政学大纲》　千家驹 / 著

《太平天国革命运动论文集——金田起义百周年纪念》

华北大学历史研究室 / 编

《理性与自由——文化思想批评论文集》　胡绳 / 著

《战斗者的诗人》　黄药眠 / 著

《国语文法》　曹朴 / 著

《教育哲学》　张栗原 / 著

《妇女问题讲话》　杜君慧 / 著

《婚姻·子女·继承》　沙千里 / 著

《性教育新论》　布士克　雅各生合著 / 董秋斯译

《狱中杂感》　杜重远 / 著

《七人之狱》　沙千里 / 著

《爱迪生传》　伍况甫 / 译

《歌德自传》（上下）　歌德著 / 思慕译

《尼赫鲁自传》　［印度］尼赫鲁著 / 毕来译

《列宁传》　［苏］凯尔任采夫著 / 企程　朔望译

《罗斯福总统传》　C．Mackenzie 著 / 张尚之译

《托尔斯泰传》（1–3）　［英］阿尔麦·莫德著 / 徐迟译

《革命文豪高尔基》　［美］亚历山大 · 康恩著 / 韬奋编译

《鲁迅纪念特辑》　新中国文艺社 / 编

《回忆鲁迅先生》　萧红 / 著

《人民文豪鲁迅》　平心 / 著

《亡友鲁迅印象记》　许寿裳 / 著

《鲁迅思想研究》　何干之 / 著

《鲁迅研究》　夏征农 / 编

《过来的时代：鲁迅论及其他》　雪峰 / 著

《电影戏剧表演术》　洪深 / 著

《日常心理漫谈》　［美］约瑟夫 · 查斯特罗著 / 曾宝葹译

《心理常识漫话》　朱智贤　杨云美 / 著

《读书的方法与经验》　王任叔 / 著

《美国黑人生活纪实》　［美］加德维尔　斯坦倍克著 / 董秋斯译

《初访美国》　费孝通 / 著

《事业与成功》　［美］马尔腾著 / 汪原放译

《萍踪寄语（初集）》　韬奋 / 著

《一生的幸福前途——〈生活周刊〉信箱选集》　生活书店 / 编选

《深刻的印象》　生活周刊社 / 编

《海外的感受》　生活书店编译所 / 编